D0275192

DATE DUE FOR RETURN

LA NOVELA EN EL SIGLO XIX
(HASTA 1868)

HISTORIA CRÍTICA
DE LA LITERATURA HISPÁNICA-16

HISTORIA CRÍTICA
DE LA LITERATURA HISPÁNICA

Dirigida por Juan Ignacio Ferreras

TÍTULOS DE LA COLECCION

JUAN IGNACIO FERRERAS

LA NOVELA
EN EL SIGLO XIX
(HASTA 1868)

taurus

Cubierta:
de
MANUEL RUIZ ÁNGELES

Este libro ha sido compuesto mediante una Ayuda a la edición de las obras que componen el Patrimonio literario y científico español, concedida por el Ministerio de Cultura.

© 1987, Juan Ignacio FERRERAS
© 1987, ALTEA, TAURUS, ALFAGUARA, S. A.
TAURUS EDICIONES
Príncipe de Vergara, 81, 1.º - 28006 MADRID
ISBN: 84-306-2516-X
Depósito legal: M. 19.537-1987
PRINTED IN SPAIN

ÍNDICE

HISTORIA

1. INTRODUCCIÓN

La novela española que va desde los primeros años del siglo XIX, hasta el año de la revolución burguesa de 1868, no ha sido, de una manera general, tomada en consideración por la crítica. Incluso en las mejores Historias de nuestra Literatura, se entiende que la novela decimonónica empieza con el Romanticismo, esto es, por los años 30 del siglo.

Sin embargo, se puede demostrar que antes del Romanticismo y antes de las primeras manifestaciones de la novela histórica (fruto del Romanticismo) no sólo hubo novela española, sino que incluso se formaron varias tendencias novelescas, entre las cuales, y con el tiempo, iba a surgir la gran novela decimonónica que se llamaría Edad de Plata.

El siglo XIX, como sabemos todos, es un siglo convulso, muy difícil de resumir y, a veces, muy difícil de explicar: la política se encuentra casi siempre inextricablemente unida a la vida intelectual, y desde luego, a la novela; por eso hemos tenido que tener presente, en lo que sigue, la historia política española. Sobre ella, y también bajo sus efectos, se desarrolló la novela durante estos primeros treinta años. Después, a partir de 1830 aproximadamente, nace la novela histórica, que, una vez más, también estará teñida de política o, al menos, de ideología.

Junto a la novela histórica y combatiéndola, aparecerá casi enseguida la llamada novela prerrealista, tendencia que prepara el advenimiento de la gran novela realista de los años 68. Junto a este prerrealismo florece el llamado costumbrismo, en contacto siempre con el género novelesco pero más con el periodismo (que nació, como se recordará, en este siglo).

Lo que hemos llamado *medio siglo,* y en cuanto atañe a la novela, determina la aparición de toda suerte de dualismos; y también estos dualismos novelescos corren en paralelo con los dualismos políticos y, por descontado, ideológicos que informan la vida social de España.

Había, pues, que estructurar este estudio a partir de corrientes o tendencias novelescas, sin olvidar las evoluciones políticas de la sociedad; por eso hemos preferido centrar nuestros capítulos sobre géneros o subgéneros novelescos, con dos excepciones: la primera, que corresponde a la figura de «Fernán Caballero», tan grande e importante, que ella sola puede no sólo titular, sino significar toda una tendencia novelesca, en este caso el llamado *prerrealismo.* La segunda excepción corresponde a *La novela por entregas,* título que no expresa una corriente o una tendencia, sino un procedimiento editorial o comercial; sin embargo, este procedimiento y sobre todo la producción de este tipo de novelas fue tal, que su estudio independiente es aconsejable. Y de la misma manera dedicaremos uno de nuestros análisis a desentrañar el significado de este tipo popular de novela.

A pesar de todos nuestros esfuerzos no ha sido posible incluir en los capítulos históricos que siguen el nacimiento y desarrollo de un género original español, el que llamaremos *novela histórica nacional* o *episodio nacional.* Todos conocemos los episodios nacionales de Benito Pérez Galdós, pero conviene advertir que Pérez Galdós vino a dar forma definitiva a un género que ya existía, por eso trataremos de esta tendencia novelesca en el segundo de nuestros análisis.

De una manera general, la Historia de la novela española de los primeros 68 años del siglo XIX ha de tratar de las siguientes tendencias: *El renacimiento de la novela,* que va de 1800 a 1833; *el romanticismo y la novela histórica; el costumbrismo; el prerrealismo en la novela.*

Esto, en lo que atañe a las tendencias puramente novelescas o paranovelescas, caso del *costumbrismo*. Junto a estos estudios, van los dedicados a la vida política e intelectual de esos años; un capítulo especial para «Fernán Caballero», y dos más, «La novela por entregas» y «Los dualismos novelescos», que de alguna manera arrancan del prerrealismo.

El que la novela española de 1800 a 1868 vaya delante de la gran novela realista que se inicia en 1868, no quiere decir que nos encontremos ante un pórtico introductorio de la misma, y por eso sería un error estudiar las tendencias que se historian en este libro, a partir de la novela realista posterior a 1868. Hay que partir de un hecho histórico bien determinado: la novela española de 1800 a 1868 tiene características propias, y corresponde a una sociedad que hasta cierto punto cambió radicalmente a partir de la revolución, tantas veces citada, de 1868. Una prueba casi contundente de esta situación la tenemos en la misma, Fernán Caballero que, escritora de éxito, dejó de escribir exactamente en 1868, muriendo en 1877: su mundo, y por lo tanto su novela, había ya desaparecido; o de otra manera, el realismo sustituía al prerrealismo.

(Una advertencia final para esta «Introducción»: el autor ha elaborado el presente tomo a partir de otras publicaciones suyas anteriores; ante todo ha seguido el capítulo titulado «La prosa en el siglo XIX», publicado en el tomo III de la *Historia de la Literatura Española* (1980), ampliando y corrigiendo en su caso muchas de sus páginas. También ha tenido presente sus tres libros citados en la «Bibliografía» (1972, 1973 y 1976). Para la construcción del primer análisis, ha seguido el último capítulo de su libro titulado «La novela por entregas 1840-1900» (1972). El autor ha tratado de perfeccionar lo ya publicado, sintetizándolo, a fin de que cupiera en la limitada extensión de un tomo de la presente colección.

2. POLÍTICA Y NOVELA

La Historia española de 1800 a 1868 puede dividirse en tres períodos políticos bien caracterizados. Como veremos, estos tres períodos políticos se encuentran íntimamente entremezclados con la Historia de la novela:

1) De 1800 a 1833, y salvo algunos años, está en el poder Fernando VII; la Guerra de la Independencia concitará un auténtico resurgimiento nacional, a cargo de la clase media y de las clases populares (y en este sentido titulará el conde de Toreno su obra sobre la Guerra de la Independencia *Historia del Levantamiento, Guerra y Revolución de España*). Las clases dirigentes, alto clero y alta nobleza, siempre con excepciones, traicionan la causa nacional y besan las manos de Napoleón, pero el triunfo final de las armas españolas, y sobre todo la restauración del absolutismo en 1814, permitirá a estos grupos volver al poder y refrenar el ascenso de la burguesía que había nacido en el Cádiz de las Cortes de 1812. El corto intermedio liberal de 1820-1823 no producirá ningún cambio fundamental, y de nuevo en 1823 y hasta su muerte en 1833, Fernando VII reinará como señor absoluto.

Durante estos años, la novela atraviesa lo que podemos llamar un período de postración, debido sobre todo a la existencia de una celosa Censura Gubernativa. Es época de absolutismo cerrado en la que a pesar de todo, como comprobaremos más tarde, existe un verdadero resurgimiento novelesco.

2) El segundo período político, el de las Regencias, se abre en 1833 con la regencia de la reina María Cristina de Borbón, y se cierra en 1840, año en que comienza la regencia del general Espartero y que durará hasta 1843. Durante estos diez años, el absolutismo como sistema es derrotado y comienza la vida política de la burguesía; moderados y progresistas se disputan el poder, a vueltas con una guerra civil en el norte del país y con dos clases o grupos sociales,

la aristocracia y la Iglesia, que luchan contra las nuevas fuerzas en presencia.

La novela española parece aprovecharse inmediatamente de la nueva libertad conseguida con la desaparición del régimen absolutista, y surge así la *novela histórica* con visión o sin visión política. Se cultiva el *costumbrismo* en sus varias tendencias, sobre todo en la política, y se echan las bases del dualismo novelesco, que se desarrollará en el período siguiente.

3) El tercer período político lo constituye el largo reinado de Isabel II (de 1843 a 1868) durante el que, de una manera o de otra, se afirma la burguesía nacional y se prepara lo que será la revolución burguesa de 1868, o la *Gloriosa*.

Durante este período se siguen cultivando las tendencias novelescas aparecidas en los períodos anteriores, y nace la tendencia dualista: pura imagen de lo que ocurre en la realidad nacional. Nace también una industria editorial muy relacionada con la novela: la entrega o el folletín.

Se podrían resumir estos sesenta años largos de historia española con un solo título: ascensión de la clase burguesa; pero la realidad, mucho más compleja, no permite tales resúmenes. Hay que subrayar, con todo, que la industria que emplea el vapor como fuerza motriz se instaura en Barcelona en 1832; que a mediados de siglo se construye el primer ferrocarril, el primer alto horno de coque y que aparecen los primeros bancos promotores de industrias (como el Banco de Bilbao de 1857). La sociedad entera empieza a estructurarse sobre bases económicamente burguesas; al mismo tiempo, y siempre en paralelo, la vida cultural sufre una transformación parecida, pero en este caso el pasado cultural, la memoria histórica y, sobre todo, la sobrevivencia de las antiguas clases —con sus correspondientes ideologías—, más o menos incrustadas en la nueva economía, no permite un despliegue tan francamente «burgués», como ocurre en el campo de la política y de la economía; por todo ello, podemos comprobar que junto a revolucionarios burgueses, decididamente jacobinos, surgirán pensadores y artistas que continúan anclados en un pasado preburgués; la ausencia de una reestructuración económico-política burguesa al nivel nacional, es decir, la falta de una revolución burguesa, permite y, sobre todo, explica esta variedad, estas contradicciones, estas luchas entre lo pasado que continúa presente y lo presente que no acaba de instaurarse.

Hay que tener también en cuenta la aparición de una nueva clase, el proletariado, creado por la burguesía industrial, que comienza su vida histórica por los años treinta y que, aunque, como es natural, no va a producir una novela o una filosofía por el momento, sí va a incidir de una manera contundente en la prosa periodística y en lo que pudiéramos llamar prosa política.

El advenimiento de la ideología burguesa, después de la revolución francesa, escindió, para empezar, toda vida política y cultural española de primeros de siglo. Absolutistas y constitucionalistas van a luchar un momento unidos durante la Guerra de la Independencia, 1808-1814, para destrozarse entre sí inmediatamente después. Por un lado, la ideología absolutista (que en su versión política y teocrática producirá el carlismo e informará el neocatolicismo) pierde terreno a partir de las Cortes de Cádiz; por otro lado, la lucha ideológica se situará en el campo de los constitucionalistas; moderados y progresistas, todos liberales en principio, van a disputarse el poder hasta la revolución de 1868.

Hay que añadir en este punto el problema de los afrancesados: grupo político e intelectual que ha de exiliarse en 1814 y que solamente a partir de 1834 se reincorpora al país, aportando una nueva fuerza a la burguesía ascendente.

Se puede afirmar que no existió ninguna vida cultural independiente en España desde 1800 hasta 1868 (ni tampoco después), o de otra manera, y para citar a un autor nada sospechoso, dice Menéndez Pelayo que «la historia literaria depende siempre de la historia civil». Todo movimiento, corriente, escuela, de este siglo, se halla, de una manera o de otra, determinado o mediado, más o menos integrado en un movimiento, corriente, escuela, político. Si cada grupo o clase social se expresa también a través de la literatura, ocurre en esta época que la materialización política suele invadir el terreno, siempre inseguro, de la materialización literaria o artística. Cada grupo o clase materializa su propia visión del mundo a través de la acción política, de la literatura, de la filosofía, de la religión, del arte en general, etc., pero puede darse la circunstancia, como en estos años siguientes: ningún grupo o clase social se encuentra asegurado, con todo el poder en sus manos; entonces la praxis política, o la lucha por este dominio y este equilibrio, determina toda suerte de materializaciones.

3. EL RENACIMIENTO DE LA NOVELA (1800-1833)

La historia de la novela española se suele trazar, para el siglo XIX, a partir de 1830, año en el que aparecen las primeras novelas históricas; sin embargo, durante los treinta años que van desde primeros de siglo a la época que podemos considerar romántica, en España no solamente existen novelas, sino que también se forma un público lector y una industria editorial.

Se traduce mucho, pero se escribe mucho también, sin olvidar ni un momento que tanto para las traducciones como para las producciones originales existe una todopoderosa Censura Gubernativa; con lo que quiero decir, una vez más, que todo novelar ha de encontrarse en oposición, o al servicio, de la ética que se encuentra en el poder del Estado.

Aunque no podemos examinar aquí las traducciones, cabe apuntar que existe una rigurosa selección en cuanto a títulos traducidos y publicados en España; pero esta selección no viene solamente de la Censura, sino también de la capacidad de comprensión del traductor y del público lector: se traduce lo que se entiende, y lo que se puede entender en estos años no es lo mejor, ni mucho menos. Sin duda las traducciones ayudarán a formar un público, a formarlo o educarlo en cierto sentido, provocando así, entre otros efectos, una serie de limitaciones, pero hay que añadir que el impulso novelesco no pudo venir de fuera, porque sólo se limita o se traduce lo que se puede entender; lo que ya está, hasta cierto punto, en la conciencia colectiva de autores y lectores. Los títulos extranjeros no entran en España según el orden cronológico de su propia aparición, sino según un orden cronológico diferente: el que señala el avance de una conciencia que podemos llamar novelesca en el público, autores y lectores, español.

Ya a finales del XVIII, la novela había dado muestras de intentar un camino propio con Montengón, Mor de Fuentes y otros, pero en 1805, con la instauración de la Censura Gubernativa y, sobre todo, con la reactivación del régimen absolutista, la novela y la cultura en general tienden a inmovilizarse; esta situación va a durar hasta la muerte de Fernando VII en 1833, con la excepción del llamado trienio liberal de 1820-1823. Los moralistas, censores y hombres del poder combaten toda suerte de novedades y combaten también la novela, género literario al que intentan negar el derecho a la existencia en un primer momento, y después, ante la nulidad del esfuerzo, intentan apropiárselo: es decir, convertir toda novela en una novela de propaganda moral, integradora, defensora de todos los valores institucionalizados.

Hay que recordar, también para estos años, el poco desarrollo de las concentraciones urbanas, la paralización de toda vida intelectual y también el índice de analfabetismo en España, que va de un 94 por 100 en 1800, a un 90 por 100 en 1840 (la población puede estimarse de diez a catorce millones, con respecto a los años citados).

A pesar de todas estas desfavorables circunstancias, la vida intelectual se va organizando, siempre en paralelo con el desarrollo y ascensión de la clase burguesa, y con la pequeña burguesía comerciante sobre todo. No solamente aparecen las primeras muestras de prosa científica, más o menos independiente, las primeras revistas y los primeros diarios, sino que también la novela empieza a caminar con paso firme hacia el cenit de 1870.

De 1800 a 1830 existen, siempre aproximadamente, cerca de un centenar de novelistas españoles, que llegan a publicar más de 200 títulos novelescos; también en estos treinta años se publican más de 300 títulos novelescos traducidos. En paralelo, resurge la industria editorial y se crean circuitos comerciales de difusión y venta; recordemos que los editores crean colecciones y bibliotecas, es decir, que organizan suscripciones y publican con periodicidad; tratan así de crear un público lector en todas las capitales de la península. Las más importantes editoriales están situadas en Madrid, Barcelona y Valencia, pero existen representantes comerciales (oficinas de suscripción y de venta) en muchas otras ciudades. El libro, la novela se vende directamente en las librerías de la editorial y también se envía a provincias; naturalmente los precios varían, como veremos más adelante.

Dejando ahora a un lado la producción costumbrista, que examinaremos en otro lugar, la producción novelística española de 1800 a 1833 se puede dividir para su estudio en cuatro tendencias diferentes.

Se entiende por tendencia la novela o el grupo de novelas que contienen una misma problemática. No se trata solamente de agrupar las novelas a partir de los temas (pues ya sabemos que con un mismo tema, se pueden escribir dos novelas de muy distinto signo y significado), sino a partir de la estructura interna del texto, y esta estructura interna podría ser descrita como la serie de razones que justifican la reunión coherente de todos los elementos existentes en el texto.

Las cuatro tendencias que van a continuación están basadas, pues, en cuatro diferentes maneras de escribir, de pensar, de sentir, etc.

a) *Novela moral y educativa*

Se trata de una novela dirigida preferentemente a un lectorado femenino, pero no exclusivamente; detentadora de todos los valores institucionalizados, hereda también del siglo XVIII el criterio de la *utilidad;* la novela ha de ser sobre todo útil, ha de mostrar, por ejemplo, el camino a seguir en la sociedad.

Al ser la mujer en esta época, y quizás en todas, la gran consumidora de novelas, esta novela moral y educativa presenta siempre un tipo ideal de fémina: sumisa, casta, sobre todo casta, religiosa y, hasta cierto punto, sentimental, pero sentimental en el sentido de *sensible* (la gran palabra de la época); porque lo que en definitiva caracteriza esta tendencia novelesca es su odio y lucha contra el amor-pasión, revelador de personalidades, rebelde en suma a un orden establecido; por eso se trata de transformar el amor en sensibilidad: la mujer, la protagonista paradigmática de la obra, es capaz de sentir amor, es sensible al amor, pero nada más, es decir, el amor no debe inspirar sus acciones; al contrario, la heroína lo sufrirá sin esperanza si es necesario, porque para eso es sensible, pero sumisa.

La novela moral y educativa es la gran aliada del régimen en el poder; como él, predica la sumisión y la fidelidad, exalta la jerarquía y todos los valores heredados del antiguo régimen. Esta novela funciona como integradora, y representa el primer momento o la primera respuesta ante las fuerzas individualistas en marcha; por eso la heroína está siempre bajo la autoridad de un padre, de un hermano, de un tutor, etc.; esta autoridad es la materialización novelesca de la autoridad objetiva: el rey, Dios, etc.

La novela moral y educativa comenzó a cultivarse a finales del XVIII con el padre Vicente Martínez Colomer (nacido en 1763), autor de una *Nueva colección de novelas morales* (Valencia, 1790), y todavía en 1830, un don Perfecto Gandarias, magistrado de la Audiencia de Sevilla, publicaba *Viages de Florentino,* con el subtítulo, engañoso a medias, de *Novela moral y divertida.*

Otros autores de la misma tendencia: Antonio Valladares de Sotomayor, conocido autor dramático, que escribió una mortal novela en ocho tomos titulada *La Leandra* (Madrid, 1797-1805). Atanasio Céspedes y Monroy publica en 1800 once tomos con 21 novelas con el título general de *Lecturas útiles y entretenidas;* sin duda, y siempre en parte, varias de sus novelas son entretenidas, pero todas son, sobre todo, útiles, es decir, terriblemente moralizadoras. El navarro Vicente Rodríguez de Arellano, buen poeta, publica en 1805 un *Decamerón español o Colección de varios hechos históricos y divertidos,* que, como su título *no* indica, consta de nueve novelas morales y ejemplarizadoras, nada históricas y muy poco divertidas. El presbítero Antonio Marqués y Espejo destroza una posible novela histórica en *Memorias de Blanca Capello* (1803), a fuerza de moralina. Citemos finalmente en esta incompleta nómina a Juan Guillén y a Leonardo García Carreño, que se unen para escribir una novela monstruosamente moral: *Lisardo de Monswill o los efectos del vicio* (1831).

La novela moral y educativa es una novela cerrada y sin porvenir posible; íntimamente ligada al poder moral del Estado, desaparecerá con él. Quizá, pero es muy dudoso, esta manera de novelar pueda influir en lo que se llamará, más tarde, novela de tesis.

En esta novela se habla, sin embargo, constantemente de sensibilidad, pero no hay que dejarse engañar, lo moral, lo verdaderamente educativo consiste en ocultar esta sensibilidad a fin de que triunfe la moral o los valores sociales instituidos.

O de otra manera, para los oídos modernos lo *sensible* quizá se encuentre muy cerca, o al menos emparentado, con lo *sentimental,* pero no ocurría así en los años que historiamos. Para los lectores, y sobre todo lectoras de los treinta primeros años del XIX, lo sensible andaba muy cerca de educativo, de moral, de armonioso, etc. Estamos aún lejos del movimiento romántico que transformará de alguna manera toda sensibilidad en sentimientos y todo sentimiento en pasión.

b) *Novela sensible y quizás sentimental*

A diferencia de la novela moral y educativa, esta tendencia novelesca no busca únicamente moralizar; la heroína, pues nos seguimos moviendo dentro del terreno de la novela escrita para mujeres, no es ya un paradigma de virtudes, sino que puede sentir afectos mucho más intensamente que la protagonista de la tendencia anterior; estos afectos, amorosos sobre todo, no son, sin embargo, lo suficientemente fuertes como para inspirar una praxis individual; nos hallamos aún muy lejos del amor-pasión romántico, que inspirará la verdadera novela sentimental. Si la tendencia anterior negaba con todas sus fuerzas la existencia misma del amor, en la novela sensible (de nuevo la misma palabra, aunque con otra significación) el amor es tolerado, aunque conducido, en lo posible, por el camino de la virtud. A pesar de todo, en esta tendencia, la novela gana peso y carne, gana universo, y los protagonistas no son ya puros símbolos morales.

El ya citado padre Vicente Martínez Colomer también cultiva esta tendencia en su novela, prerromántica, titulada *El Valdemaro* (1792), en diez libros, obra que podría pasar como novela de aventuras sentimentales, quizá como novela bizantina también. Francisco de Tóxar defiende el amor de la protagonista frente a la autoridad paternal en su novela *La Filósofa por amor* (1799), aunque naturalmente esta defensa no raya nunca en la rebeldía abierta. Más movidita, sentimentalmente hablando, es la novela del conocido dramaturgo Gaspar Zavala y Zamora (¿1750?-1813) titulada *La Eumenia* (1805), en la que todos los personajes de la obra se mueven determinados por sus sentimientos amorosos; claro está que tampoco en esta novela se llega a la ruptura romántica, pero el autor logra al menos alejarse de la moralidad y dotar a sus personajes de cierta libertad efectiva. Lo mismo ocurre con la novela en verso titulada *La Luciana,* que publicó en Madrid, en 1819, el oficial Antonio Farígola y Domínguez: en *La Luciana* sólo existe una fuerza capaz de mover a los personajes: el amor; por amor traicionará el protagonista a su amigo, por amor engañará a Luciana y se casará con ella, por amor reaparecerá el primer marido y por amor se llegará a la catástrofe final.

Una de las novelas más importantes de esta tendencia es, sin duda, la titulada *La Seducción y la Virtud, o Ro-*

drigo y Paulina, que apareció sin nombre de autor en 1829; la obra, escrita en forma epistolar, materializa armoniosamente esta lucha sentimental entre la seducción, que ya no es vicio, y la virtud al uso. Rodrigo, el seductor, se dejará convencer por Paulina, la virtud, al final de la obra, pero lo importante, para la historia de la novela, consiste en que ya la seducción, o el vicio, no aparece como enemigo de la humanidad, como un peligro, como un pecado, sino como un estado natural del hombre, sobre el que se puede discutir con bastante libertad.

Aún se podrían añadir algunos nombres más entre los cultivadores de esta tendencia, como los de Segunda Martínez de Robles y Vicenta Maturana y Vázquez, entre las escritoras, y entre los autores, Manuel Benito Aguirre y José López Escobar: todos ellos publicaron novelas entre sensibles y sentimentales de 1820 a 1830.

No hay duda de que la *novela sensible y quizá sentimental* hubiera tenido un gran desarrollo en España si hubiera ocurrido en nuestro país, como en Francia, por ejemplo, una verdadera y arrolladora revolución romántica. Por el camino de la sensibilidad se llega pronto a la sentimentalidad, y de aquí a la pasión sólo hay un paso; sin embargo, como queda escrito, es muy dudosa la revolución romántica en España, entre otras razones porque esta revolución no se dio en paralelo con otra revolución, la política, como ocurrió en Francia. El romanticismo, como veremos más adelante, se materializó, al nivel novelesco, en las llamadas novelas históricas y produjo muy pocas novelas sentimentales o puramente pasionales.

Podríamos concluir que la novela *sensible y quizá sentimental,* aunque logra distanciarse de la novela *moral y educativa,* que reseñamos anteriormente, no encuentra su propia personalidad, su propio sitio o su propio tipo. Novelas levemente sentimentales han existido y existen en todas las épocas, pero la novela sensible y quizá sentimental se vio muy pronto abocada a radicalizarse: por un lado, aumentó las determinaciones producidas por el amor, y llegó así a la novela del amor-pasión, novela romántica (y que se materializará como novela histórica). Por el otro lado, pero al nivel temático, proporcionó más de un universo a las novelas de terror, históricas, de aventuras, etc.

La novela *sensible y quizá sentimental* viene a ser así un precario equilibrio entre la antinovela moral y lo que será decididamente novela sentimental; los tiempos no daban para más, pero los tiempos preparaban un futuro mejor.

c) *Novela de terror*

Tendencia novelesca que tenía que haberse desarrollado bajo el romanticismo, que no ocurrió así, quizás por las razones que apuntamos antes, pero que, a pesar de todo, nació ya al socaire de un prerromanticismo.

Por otra parte, no sería difícil encontrar en ciertas novelas de las dos tendencias ya anotadas, y en la tendencia que sigue, escenas, universos más o menos terroríficos; sin embargo, solamente en 1831, y con el movimiento romántico en marcha, surge la primera y casi única novela que podemos considerar negra o de terror. Hay que decir inmediatamente que nos encontramos ante una falsa o inauténtica novela de terror: el autor se preocupa por la sangre, por el detalle macabro, por la descripción del cadáver sobre todo, pero no logra nunca sugerir esa irracionalidad que caracteriza a los maestros ingleses del género. La verdadera novela de terror, el *ghotic tale,* está basada en la irracionalidad del universo, en la sinrazón de los actos humanos, de aquí deriva la impresión terrorífica; las escenas, más o menos siniestras, sólo sirven de tema a la problemática de la irracionalidad.

Agustín Pérez Zaragoza Godínez publicó en el solo año de 1831 los 12 tomos, 12, con 21 historias trágicas, 21, bajo el título general y un poco descompasado de *Galería Fúnebre de Historias Trágicas, Espectros y Sombras Ensangrentadas...* Obras estrafalaria en la que hay un poco de todo, hasta, y a veces, novelas aceptables. Los 12 tomos fueron un éxito de público, y no hay duda de que prepararon el terreno, por lo menos al nivel temático, a ciertas realizaciones románticas.

No hubo exactamente una producción de novelas de terror en España ni antes ni después de estos años; para 1830 se podría todavía añadir el nombre de Narciso Torre López y Ruedas, y alguno más, pero pocos y con obras de pésima calidad. La falta de novela negra o de terror en España pide, cuando menos, una explicación y, desde luego, un estudio. (Hubo autores, como un Alarcón, un Valle-Inclán, que intentaron más de una vez el relato fantástico, quizá de terror, pero tendencia, es decir, producción y frecuencia, no hubo en todo el siglo XIX.)

La novela de terror, finalmente, surgió en Inglaterra en circunstancias sociopolíticas bien conocidas: ante la pérdida de un universo, que era aristocrático, nace una visión del mundo que deja de creer en la realidad, o mejor, que despoja de toda racionalidad a la realidad. El novelista trata así de encontrar, por encima de la razón, una razón a la nueva existencia que se le presenta. No es una casualidad que muchos de los escritores ingleses que cultivaron el *ghotic tale* fueran de origen aristócrata, puesto que ellos mismos sentían los efectos de una industrialización que les dejaba fuera del curso de la historia social. El mundo, las condiciones sociopolíticas cambian y el escritor de terror busca purgarse de un cambio que no comprende y que, des de luego, le perjudica. (Lo mismo ocurre en nuestra época, en la que habría que buscar una explicación a la abundancia de relatos y películas de terror.)

Novela inauténtica, la novela de terror española sólo es capaz de recoger algunos temas importados del extranjero, y en estos temas reside su aportación principal a la novelística nacional, ya que en parte serán aprovechados por las novelas históricas (el subterráneo, las apariciones, los sueños premonitorios, el castillo en ruinas, etc.).

Lo irracional no entra en nuestra Literatura, y no porque ésta sea esencialmente realista, como se ha asegurado más de una vez, sino porque ha faltado el grupo social o la visión del mundo, capaz de utilizar esta irracionalidad de una manera artística. Si el irracionalismo produce legítima angustia, ésta no puede aparecer mientras los grupos sociales capaces de expresarla, esta angustia, no tengan motivo para hacerlo. La angustia aparecerá, y también la aparente irracionalidad, cuando las contradicciones internas de la burguesía se pongan de manifiesto, pero esta angustia y este irracionalismo no tendrán ya nada que ver con la novela de terror o negra de claro origen aristocrático.

d) *Novela anticlerical*

Tendencia que podría definirse, en una primera aproximación, como novela liberal, de combate; de puesta en duda, primero, y de negación, después, no solamente de los valores de la Iglesia Católica, sino de todo deísmo. Novela que en su modelo más acabado sería atea. Tal novela, como es fácil de comprender, no pudo existir en la España del absolutismo, sobre todo, después de 1805, año en el que se instauró la Censura Gubernativa; pero esta tendencia había surgido ya en 1799 ó 1800, con un título: *Cornelia Bororquia,* que unas veces se subtitula *Historia verídica de la Judith española* y otras *La víctima de la Inquisición.*

Imposible saber a ciencia cierta quién fue el autor: quizás el ex fraile trinitario Luis Gutiérrez, ahorcado durante la Guerra de la Independencia por la Junta Central.

La novela, a pesar de todas las prohibiciones eclesiásticas y de su puesta en el *Índice,* tuvo un gran éxito y se reeditó más de 20 veces desde 1800 a 1840; también se tradujo al francés en 1803; después de 1840 cayó en el olvido.

La *Cornelia Bororquia* es novela prerromántica, anticlerical y hasta atea: defiende al individualismo más exacerbado y arremete contra la institución del Estado, personificado como Iglesia y Monarquía. Novela escrita en cartas y bastante bien escrita para la prosa que se estilaba en estos calamitosos años. La historia, demasiado lineal (Cornelia es encarcelada por el arzobispo de Sevilla —enamorado de la doncella— y acabará en la hoguera), sirve de fondo para una serie de ataques a la Iglesia y a la Monarquía, institución que se apoya en la Iglesia, según el anónimo autor, para mejor esclavizar al hombre.

La *Cornelia* no tiene antecedentes nacionales, aunque la crítica anticlerical haya existido siempre, y es así la fundadora de una tendencia novelesca muy mal desarrollada en España: en parte porque las circunstancias políticas no lo han permitido, y en parte también por la falta de talento de los mismos cultivadores (a finales de siglo, un Octavio Picón, por ejemplo, es una verdadera excepción en cuanto a talento se refiere; y lo mismo se podría decir de Blasco Ibáñez).

Junto a la *Cornelia* se podrían citar dos obras también anónimas y que también se publicaron por esta época: la *Historia de la Papisa Juana,* pequeña novela en verso, inocentona y hasta sosa, y el libelo antijesuítico *Mónica secreta de los jesuitas,* que viene de muy antiguo y que se editará una y otra vez. Algunos nombres: José Joaquín Olavarrieta, «Clararrosa», autor de un *Viage al mundo subterráneo,* en 1820; un poco más tarde, y ya en la década del 30 al 40: Joaquín Castillo Mayone, regular escritor, y a partir de 1840, Huet y Allier, Garrido, Robello y Vasconi, y el mejor de todos ellos, Wenceslao Ayguals de Izco.

La novela puramente anticlerical, como la primera *Cornelia,* no abunda en España, aunque abunde durante todo el XIX un anticlericalismo novelesco, que suele colorear los más diversos aspectos y producciones, desde la novela por entregas hasta algunos títulos de Pérez Galdós.

Como podemos comprobar a través de las cuatro tendencias señaladas, y a las que hay que añadir la novela histórica en sus diferentes modalidades y la producción de textos que llamamos *costumbrismo,* el renacimiento de la novela en España es un hecho que no necesita mayor explicación, aunque haya críticos que aún continúen situando en 1830 el resurgir de esta novela.

Surge la novela, se organiza el mercado editorial, se conquista un mercado y se crea, sobre todo, un lectorado. La descripción de este lectorado, y dadas las cifras de analfabetismo de la época, es empresa arriesgada. En principio, podemos pensar que solamente se leía en las ciudades, en éstas no hay aún obreros, y se componen de comerciantes, profesiones liberales, clérigos, aristócratas, militares y un grupo mal definido que llamaremos artesanos. Sin duda entre los componentes de estos grupos o clases sociales se encuentran los lectores de novelas, y sobre todo las lectoras de novelas, pues es bien sabido que fue la mujer la primera consumidora de este género literario.

Otra manera de acercarse a este indescriptible, por ahora, lectorado (o área de lectura) consistiría en la enumeración de las publicaciones, descripción de tiradas, editoriales, librerías, etc. A este respecto podemos avanzar algunos datos solamente indicativos.

Los libros, y sobre todo las novelas de 1800 a 1830, siempre aproximadamente, suelen ser de pequeño tamaño: un octavo (10 por 15 cm.) más bien reducido; no van muy adornados, aunque sí suelen incluir una lámina de acero, y su encuadernación «en pasta» no presenta ninguna novedad.

Los precios, elevados para la época, han de estar en razón directa de la tirada (1.000 ó 2.000 ejemplares) y varían según tamaño y número de páginas, de seis a diez reales. Cuando la obra era enviada «a provincias» costaba un real más.

A partir de 1830 aparecerá la moda romántica en el libro, nuevas encuadernaciones, mejores ilustraciones, adornos en las páginas, etc.; sin embargo, los precios y el tamaño no variarán mucho.

En cuanto a las publicaciones periódicas, hay que distinguir enseguida entre los periódicos que nacen en la Cádiz de las Cortes Constituyentes y las revistas literarias o no, de información o de investigación. En primer lugar, las colecciones aparecieron desde los primeros años del siglo; un editor publicaba periódicamente un libro que vendía por suscripción anticipada. Estas colecciones, que solían tomar el nombre de Bibliotecas, publicaron un poco de todo, desde novelas hasta poesía lírica, desde libros de Historia hasta tratados de Geografía o de Química.

Citaré solamente algunos títulos: la *Biblioteca Selecta de las Damas,* editada por Bergnés en Barcelona en 1806;

Colección de novelas, editada por Cabrerizo en Valencia a partir de 1818, y que en 1856 llegó a los 78 títulos o libros; en Madrid fue famosa la *Colección de Novelas Históricas,* editada por Repullés en 1832 a 1834.

Se podría resumir diciendo que hubo colecciones y bibliotecas para todos los gustos y para todos los grupos sociales; que pocos autores escaparon de ser publicados en colección o en biblioteca.

De la misma manera que las bibliotecas y las colecciones publicaban con una cierta periodicidad un libro por suscripción, las revistas comenzaron a aparecer, llenando sus columnas con un sinfín de colaboraciones que podían tomar las formas más insospechadas: novela corta, ensayo literario, disertación filosófica, cuadro costumbrista, romance histórico, cuento, etc. Hubo, sin embargo, menos revistas que colecciones y bibliotecas, aunque hay que señalar en seguida que todo movimiento literario suele manifestarse en primer lugar a partir de una revista, y no a partir de una colección o biblioteca.

Antes del movimiento romántico se publicaron revistas como *Variedades de ciencias, literatura y artes* (Madrid, 1803-1805), *La Minerva o el Revisor General* (Madrid, 1817-1818), *Miscelánea de comercio, artes y literatura* (Madrid, 1819-1821, hay que apuntar que esta revista estuvo dirigida, y sólo hay que leer el título, por nuestro primer tecnócrata español, Javier de Burgos), *El Censor* (Madrid, 1820-1822), *El Correo literario y mercantil* (Madrid, 1828-1833), y la mejor de todas, entre las de esta época prerromántica, la titulada *Cartas Españolas* (Madrid, 1831-1832), que contó entre sus colaboradores con Larra, Estébanez Calderón, Mesonero Romanos y otros.

4. EL ROMANTICISMO Y LA NOVELA HISTÓRICA

No existe una definición del Romanticismo, o lo que es igual, existen 100 definiciones diferentes del mismo. Aquí vamos a partir de la idea de que nos encontramos ante un movimiento literario sobre todo, pero que afecta a todos los órdenes de la vida social: desde la moda en el vestir hasta la nueva manera de confeccionar un libro o «maquetar» una revista de arte.

Ante todo el Romanticismo afecta a toda la producción literaria española: surgen nuevos temas, nuevos géneros, y, sobre todo, nace una nueva visión del mundo. Si el romanticismo es, ante todo, una ruptura del yo con el mundo, hay que señalar inmediatamente que esta ruptura no tiene por qué ser una; que ante esta ruptura caben diferentes actitudes o soluciones, y que, por lo menos, podemos distinguir dos tipos de respuestas: la respuesta que intenta volver atrás y la respuesta que intenta seguir hacia adelante. O de otra manera: ante la ruptura, ante el desequilibrio que se produce en la visión del mundo, habrá un romanticismo nostálgico de un pasado más o menos armonioso, católico y medieval sobre todo; y otro romanticismo, rebelde, satánico si se quiere, que se niega a todo pacto con el mundo que le ha tocado vivir. Estas dos actitudes o estas dos respuestas se dan, como veremos a continuación, también en el campo de la novela.

No existe, para empezar, ninguna definición de la novela histórica (apuntemos que, en propiedad, toda novela es histórica en cuanto que cuenta, narra, historia un pasado, aunque lo narre en presente). De un modo general, se ha llamado novela histórica a la surgida durante el romanticismo y cuyo tema se centra sobre un pasado histórico, preferentemente medieval. En este tipo de novela, y si profundizamos un poco, nos podemos encontrar con que el héroe parece determinar toda la acción novelesca, siendo el universo novelesco como un mero soporte, como un simple decorado.

Según los manuales, la novela histórica comienza con Chateaubriand y con Walter Scott, pero si nos atenemos a la nueva visión del mundo, revolucionaria o no, la novela histórica es una materialización al nivel novelesco (o al nivel de la representación artística) de un desequilibrio social. Hay una novela histórica en la que se exaltan las fuerzas del yo, como las únicas capaces de transformar el mundo; pero también existe otra novela histórica que sirve de refugio a la derrotada ideología aristocrática, que le sirve también de catarsis, por medio de la cual se proclama la perennidad de ciertos valores puestos en duda primero, y después negados, por la burguesía revolucionaria (la jerarquía, la fe, etc.). Junto a esta corriente romántica, de sabor reaccionario, corre en paralelo el romanticismo exaltador del yo: el protagonista atraviesa como una exhalación el universo de la novela, llevando con él la muerte.

Si el héroe de la novela histórica nostálgica se refugia en un pasado imposible de resucitar, y muere en él, también el nuevo héroe de la novela histórica revolucionaria morirá, puesto que tampoco encontrará consuelo, puesto que tampoco puede integrarse. Ambas actitudes han partido de la ruptura yo-mundo, por eso, en ambas novelas, los finales son parecidos.

En Europa, en Inglaterra y Francia sobre todo, la novela histórica viene después o al mismo tiempo que la revolución burguesa; en España, el problema se complica un tanto: efectivamente, en 1830, fecha aproximada de la novela histórica española, la revolución burguesa no solamente no se ha hecho, sino que existe una contrarrevolución en marcha. De esta situación —que es un desfase con respecto a Europa— se puede deducir fácilmente que en España no ha habido exactamente romanticismo (tesis que finalmente viene a defender Allison Peers) o que el romanticismo español es un producto espúreo; en España se recoge, en primer lugar, un cierto costumbrismo satírico que, dadas las circunstancias, acabará por transformarse en costumbrismo moral y moralizante. Existe, claro está, una revolución más o menos romántica en el teatro y en la poesía, sobre todo, siendo la novela la menos afectada.

Si es cierto que en España no se logran escribir novelas históricas, comparables estéticamente con ciertas producciones europeas, aunque no falten títulos importantes, esta forma novelesca o este tipo de novela determinará, de una manera o de otra, ciertas tendencias posteriores (la novela histórica de aventuras, la novela histórica nacional o episodio nacional, entre otras, amén de cierta novela puramente sentimental y de otra más o menos social).

A pesar de ciertos antecedentes muy interesantes, la novela histórica en España se desarrolla a partir de los años 30, y florece a partir de la muerte de Fernando VII en 1833, como si la desaparición del rey significara la muerte del absolutismo impedidor de toda expresión literaria individualista y, naturalmente, romántica.

El primer problema ante la producción, muy numerosa, de novelas históricas españolas reside en su clasificación. Aunque considerada pobre, de imitación, etc., la novela histórica española es mucho más copiosa y variada de lo que se cree, y la prueba consiste en que es muy difícil establecer una clasificación entre sus diversas tendencias o subtipos. Si dejamos a un lado ciertas clasificaciones como «novelas históricas estilo Walter Scott» o «estilo Dumas», que nada significan; si olvidamos también las socorridas divisiones por temas (de tema medieval, de tema musulmán, de Historia de España, etc.) y nos atenemos a la problemática de la producción, podemos encontrar, ante todo, dos tendencias o corrientes bastante bien diferenciadas: una novela histórica que llamaremos *liberal* y otra que llamaremos *moderada.*

Hay, sin embargo, otra clasificación posible (y que yo mismo he empleado en algún libro: Juan Ignacio Ferreras [1976]). En lugar de fijarnos en la ideología política que produce la problemática novelesca, nos podemos centrar en la estructura del universo novelesco; en este caso nos encontraríamos con tres tipos de novelas históricas bien diferenciados.

El primero vendría constituido por la pura *novela histórica* de origen romántico, en la que el universo novelesco está en relación casi determinante con el protagonista.

El segundo tipo se llamaría *novela histórica de aventuras;* aquí, el universo novelesco pierde valor, peso y hasta delimitación. De la misma manera, el protagonista ya no es un héroe romántico, sino un protagonista aventurero. El tema está basado en la aventura, pero, hay que insistir en ello, aún se respeta el universo novelesco.

El tercer tipo de novelas históricas se llamaría *novela de aventuras históricas.* Aquí estamos ya muy lejos de la novela histórica pura: el autor suele ser un vulgar folletinista que juega con los personajes históricos y que, por descontado, no es capaz de construir un universo histórico.

Estos tres tipos de novela histórica describen perfectamente el devenir de la novela que estudiamos: que empieza siendo una novela pura y acaba siendo una novela por entregas.

Se puede ser partidario de esta triple clasificación a la hora de historiar un siglo de novela, pero cuando tratamos solamente de su aparición y primer desarrollo, me parece preferible emplear la dualista clasificación de novelas históricas *liberales* y de novelas históricas *moderadas,* porque, de alguna manera, estamos asistiendo también a la materialización en el campo de la novela de dos ideologías que protagonizarán todas las luchas políticas y sociales del siglo.

Veamos ahora, muy brevemente, qué podemos entender por novela histórica liberal y novela histórica moderada, antes de pasar a exponer, también brevemente, el desarrollo de los dos tipos.

La *novela histórica liberal* es novela romántica sobre todo, si seguimos entendiendo por romanticismo la ruptura y la exaltación del yo individual y casi lírico. Novela histórica que suele escoger su tema en la Historia de España con una visión política y, desde luego, crítica; novela antitradicional porque intenta negar ciertos valores institucionalizados; novela, finalmente, que narra un momento presente, coetáneo, aunque para hacerlo tome del pasado histórico todos sus puntos de referencia. Esta novela liberal de nuestra clasificación es, sin duda, la más original y, desde luego, la que propone nuevas soluciones al arte narrativo. Fue también, aunque parezca raro, la primera en producirse, ya que en el trienio liberal 1820-1823 podemos encontrarnos con un autor como Francisco Brotóns, que publicó una novela titulada *Rafael de Riego o la España libre* (Cádiz, 1822).

La *novela histórica moderada* es la novela histórica «pura», la que mejor se incrusta en ciertas corrientes novelescas europeas. Es también la novela más equilibrada, la más rica, siempre que logre escapar del dualismo político, que no siempre ocurre así, como tendremos ocasión de comprobar. No es novela auténticamente romántica, puesto que en ella se trata más de recrear un universo histórico que de exaltar el yo individualizado; no hay, pues, y siempre hasta cierto punto, ninguna ruptura y sí una exaltación de los valores tradicionales.

He escogido los términos de *liberal* y de *moderada* para clasificar esta novela, por parecerme los más explicativos, ya que, de una manera o de otra, la novela histórica en España, y durante los años 1830 a 1850, no puede ser de ninguna manera independiente política y religiosamente hablando. El dualismo prerrealista, como veremos, inspira toda producción novelesca, y una vez más las mediaciones sociales determinan toda visión del mundo y toda visión artística.

a) *Novela histórica liberal*

En una primera época, esta novela, y hasta que se politiza abiertamente en dirección al republicanismo o a un cierto socialismo, es cultivada por el asturiano Patricio de la Escosura (1807-1878), militar, dramaturgo, político que sufrió varios destierros, además de poeta romántico. Escosura trata la historia medieval en *El Conde de Candespina* (1832) y el tema del pastelero de Madrigal en *Ni rey ni Roque* (1835). En *El Patriarca del Valle* (1846-1847), a vueltas con una historia más o menos folletinesca, el autor logra embutir parte de la historia liberal de su época.

Mariano José de Larra (1809-1837) publicó en 1834 *El Doncel de Don Enrique el Doliente,* obra histórica y pasional, típicamente romántica; el autor proyecta sus desgraciados amores en el protagonista, Macías, que encontrará la muerte y producirá la locura y la muerte, también, de su amada. Novela que, según la crítica tradicional (la que busca explicaciones al nivel de las influencias temáticas), se inspira en la obra de Walter Scott, pero novela personal, de exaltado individualismo, muy correctamente escrita y en la que se explota muy artísticamente un cierto pintoresquismo medieval y algunas escenas más trágicas que dramáticas (hay que recordar que Larra también estrenó, en 1834, un drama con el mismo tema que la novela, pero el autor es mejor novelista que dramaturgo).

A José de Espronceda (1808-1842), el mejor poeta romántico español, habría que juzgarlo como novelista no por la obra que vamos a reseñar, sino por su cuento en verso *El Estudiante de Salamanca,* ya que en este poema podríamos encontrar los mejores elementos del individualismo romántico y de la exaltación lírica. Espronceda no es novelista, aunque publica en 1834 *Sancho Saldaña o el Castellano de Cuéllar: Novela histórica del siglo XIII;* la obra narra la lucha de dos familias, la una partidaria de Sancho el Bravo y la otra de los infantes de la Cerda; abundan lances sangrientos y melodramáticos y no faltan discursos de exaltado liberalismo.

El sevillano José García de Villalta (1801-1846), compañero político de Espronceda, con el que sufrió más de una prisión, publicó su novela *El golpe en vago, cuento de la decimoctava centuria,* en 1834. La obra, que se sitúa en el siglo XVIII, nos cuenta la supuesta conjura de los jesuitas, llamados *los alquimistas* en la obra, contra una pareja de enamorados que lograrán unirse al final de la aventura. La intención política del autor se superpone, hasta cierto punto, a toda consideración histórica.

Eugenio de Ochoa (1815-1872), erudito e historiador sobre todo, cultiva la novela liberal, terriblemente liberal, en *El auto de fe* (1837); la obra nos cuenta la conocida historia del desgraciado príncipe don Carlos y del «tirano» Felipe II; de nuevo, como en el caso de García de Villalta, Ochoa se desliza hacia la novela política, aunque recoja con desigual fortuna un universo histórico. Hay que notar que el tema de esta novela, que viene directamente de Schiller, va a ser explotado una y otra vez por los novelistas liberales españoles.

Más importante para la novela histórica de tendencia liberal, es la obra de la cubana Gertrudis Gómez de Avellaneda (1814-1873), poetisa y afortunada autora de teatro. *Sab* (1841) es la novela del amor imposible de un mulato esclavo por la hija de su amo; *Espatolino* (1844) tiene por escenario un Nápoles revolucionario y *Guatimozín o el último emperador de Méjico* (1846) pone en escena la conquista española y reivindica la memoria de los vencidos. La Avellaneda, en estas novelas y en algunas otras que se podrían citar, aboga por la abolición de la esclavitud y critica duramente la conquista de América; si unimos a esto un culto exaltado a los sentimientos y sobre todo al amor, comprobaremos que la autora es una auténtica novelista romántica.

Wenceslao Ayguals de Izco (1801-1873), fundador o uno de los primeros fundadores de la novela por entregas en España, a fuer de hombre político, diputado liberal, progresista, critica constantemente en sus obras a la Iglesia, al Trono y, sobre todo, al Carlismo; no es exactamente autor de novelas históricas, aunque las llegó a escribir como las tituladas *Ernestina* (1848) y, sobre todo, *El Tigre del Maestrazgo* (1846-1848), auténtico episodio nacional y feroz ataque contra el no menos feroz general carlista Cabrera.

El ferrolano Benito Vicetto Pérez (1824-1876), historiador de Galicia, republicano y federal, es un excelente novelista en *Los hidalgos de Monforte* (1851), *Rojín Rojel o el paje de los cabellos de oro* (1855) y otros títulos. Vicetto no sólo sabe captar el ambiente medieval gallego, sino que es capaz de novelar a partir de su ideología política, sin que ésta ponga en peligro la coherencia de la obra.

Otros nombres y obras podríamos añadir a este apresurado resumen de novelistas progresistas que cultivan la novela histórica, pero cerremos esta corta nómina con un nombre más: el del erudito extremeño Vicente Barrantes y Moreno (1829-1898), cuya novela *Juan de Padilla* (1855-1856) fue prohibida por la autoridad eclesiástica.

La novela histórica liberal no solamente inspirará una corriente de novelas o episodios nacionales o novelas históricas nacionales, y cuyo mejor representante será Pérez Galdós, sino que proporcionará temas que se transformarán en tópicos literarios de toda la izquierda burguesa (el tema de Villalar, la historia de Padilla, la figura de Felipe II, etc.). Cuando comiencen a escribir los entreguistas de la década 50-60, estos temas serán tratados una y otra vez, con vistas a ganarse un lectorado obrero. La novela histórica liberal producirá así, y también, una corriente anticlerical y otra obrerista y populista, en el peor sentido de la palabra.

De la novela histórica liberal procede, sobre todo, la puesta en duda de ciertos valores tradicionalmente admitidos; la explotación de esta duda y de esta crítica será recogida por los realistas, y también por ciertos naturalistas del último cuarto de siglo.

b) *Novela histórica moderada*

La primera novela histórica «pura» la escribió en 1823 Rafael Húmara y Salamanca, titulada *Ramiro, Conde de Lucena,* y es de tema musulmán o mejor de tema árabe-español; en 1829 aparece en Inglaterra una novela escrita en inglés por el santanderino Telesforo Trueba y Cossío (1799-1835): *The Castilian or the Black Prince in Spain;* pero, sin duda, y a pesar de estos antecedentes, el primer español inaugurador de la tendencia entera es el catalán Ramón López Soler (1800-1836), que a partir de 1830, y hasta el año de su prematura muerte, publicó una serie de títulos sobre los que se iba a fundamentar la tendencia entera. López Soler no es enteramente original y refunde a Walter Scott y a Víctor Hugo, pero su actividad crítica, por un lado (dirigió la revista romántica *El Vapor*), y, sobre todo, la novedad de sus escritos van a tener una gran resonancia en España. Algunos títulos: *Los Bandos de Castilla o el Caballero del Cisne* (1830), *Henrique de Lorena* (1832), *El Primogénito de Albuquerque* (1833), *La Catedral de Sevilla* (1834) y otros. López Soler, que firmó algunas de sus obras con el seudónimo de «Gregorio Pérez de Miranda», estuvo íntimamente ligado con el primer episodio romántico catalán, y su obra señaló el camino a toda una tendencia.

El valenciano Estanislao de Cosca (o de Kotska) Vayo (o Bayo, como se encuentra en varios catálogos y bibliotecas) logra con *La Conquista de Valencia por el Cid* (1831) una gran novela histórica de tema medieval español, en la que combina el tema musulmán y castellano; no faltan en esta obra descripciones llenas de color, cierto sentido musical del paisaje y un estilo que llamaremos artístico, por lo poético, con lo que la novela se aleja un tanto del género narrativo para acercarse al poema.

Poemas en prosa más que novelas, son las obras escritas por el catalán Juan Cortada y Sala (1805-1868); el autor llega a subtitular algunas de sus obras *romances históricos,* con lo que quiere significar una manera de hacer típicamente románticade la novela. *Tancredo en Asia* (1833) es así un romance histórico del tiempo de las cruzadas; *La heredera de Sangumí* (1835) es un romance histórico del siglo XII, de ambiente e historia catalanes; también basándose en la historia de Cataluña, escribe *El Bastardo de Entença* (1838) y otros títulos. Juan Cortada es narrador premioso pero correcto, con más sentido histórico que instinto novelesco, con lo que quiero decir que sus personajes pierden en individualidad lo que ganan en simbolismo o personificación histórica; cosa natural, si recordamos que Cortada intenta romances, poemas, más que novelas.

El conocido autor dramático, poeta y hombre político Francisco Martínez de la Rosa (1787-1862) intenta una reconstrucción histórica monumental, en su larga y erudita novela *Doña Isabel de Solís, reina de Granada* (1837-1846), en tres tomos, más bien mortales. Si como novelista Martínez de la Rosa es más bien historiador —sólo se preocupa de reconstruir un universo—, como historiador es mucho más novelista que científico, como se puede observar en un bosquejo histórico titulado *Hernán Pérez del Pulgar, el de las hazañas* (1834), historia anovelada y casi novela histórica.

Ignacio Pusalgas y Guerris (1790-1874) es uno de los primeros novelistas que explotan el tema americano en la tendencia de la novela histórica moderada: *El Nigromántico mejicano* (1838) y *El Sacerdote Blanco* (1839) tratan, respectivamente, de la conquista de Méjico y de Cuba por los españoles; el autor inserta muy artísticamente dos historias de amor, con final católico, en un cuadro histórico de guerra.

También de 1838 es la primera novela del valenciano Vicente Boix (1813-1880), fraile escolapio, titulada *El amor en el claustro;* pero su mejor título es *El encubierto de Valencia,* que apareció en 1852. Boix, además de novelista, militó en las filas del costumbrismo.

El mallorquín Tomás Aguiló (1812-1884) escribe una magnífica novela sobre la historia de su isla natal en 1841-1842, titulada *El Infante de Mallorca.* El autor reconstruye la época de 1363, año en que sitúa la novela.

Con el leonés Enrique Gil y Carrasco (1815-1846) llegamos a una de las cumbres de la novela histórica de la tendencia que hemos llamado moderada. Su obra *El Señor de Bembibre* (1844) es, como la novela de Larra, una de las mejores muestras de este tipo de literatura. El autor recoge mejor que todos sus contemporáneos el paisaje de su Bierzo natal; es capaz también de crear una prosa melancólica, típicamente romántica. *El Señor de Bembibre* nos cuenta los desgraciados e imposibles amores de don Álvaro y doña Beatriz; como fondo, la disolución de la orden de los Templarios en el siglo XV, a los que se encuentra ligado el protagonista. La decadencia de la orden militar y el desastre amoroso de don Álvaro son descritos como una sola aventura. Sentido del color y estilo musical caracterizan también esta importante novela.

Autor de una sola obra, aunque mediocre, el salmantino Pablo Alonso de la Avecilla (1810-1860) cultiva el tema americano en *Pizarro en el siglo XVI* (1845).

Por el año 1845 empieza la incansable labor noveladora de uno de los autores mejor dotados del XIX, el sevillano Manuel Fernández y González (1821-1888). De los 200 títulos, aproximadamente, que publicó este nuevo monstruo de la naturaleza, solamente una parte de los mismos merecen el apelativo de novelas, siendo los demás paraliteratura, folletín, casquijo, sobras. Fernández y González puede representar la transición —que es liquidación— de la novela histórica a la *novela histórica de aventuras,* subtipo, este último, que descuida universo y personajes históricos, para dedicarse a contar una aventura más o menos novelesca, pero siempre dualista. Con todo, Fernández y González logra publicar algunas novelas históricas auténticas, como las tituladas *La mancha de sangre* (1845), *Martín Gil, memorias del tiempo de Felipe II* (1850-1851) y *Men Rodríguez de Sanabria, memorias del tiempo de don Enrique el Cruel* (1853). Otros títulos se podrían añadir, pero hay que observar que a partir de 1855, aproximadamente, nuestro autor publica cuatro o seis novelas por año, todas de dos tomos, con lo que la calidad de las mismas deja mucho que desear. Uncido muy pronto al carro de la entrega, Fernández y González se agostó en un trabajo muy bien remunerado y completamente inútil para la historia de la novela.

La novela histórica moderada, tal y como la venimos entendiendo, no muere exactamente a mediados de siglo, aunque se acelera su transformación, que es una descomposición hacia tipos menos auténticos; todavía surgen nombres y títulos que merecen ser recordados, como el polígrafo barcelonés Víctor Balaguer (1824-1901), que logra muy buenas narraciones en el más puro estilo histórico.

El navarro Francisco Navarro Villoslada (1818-1895), publicista católico, parece cerrar esta tendencia con novelas como *Doña Blanca de Navarra* (1847) y *Doña Urraca de Castilla* (1849). Su última novela, *Amaya o los vascos del siglo VIII,* publicada en 1879, no solamente está fuera de tiempo, sino que es un intento fallido, aunque muy popularizado en razón de su carga ideológica.

El cuentista vasco Antonio Trueba (1819-1889) también publica algunas novelas históricas a mediados de siglo (aunque convendría estudiarle como autor de cuentos, género en el que llegó a ser maestro). También a mediados de siglo publicaron diversos títulos autores como Isidoro Villarroya, Juan Ariza, Víctor África Bolangero, J. A. de Ochoa, el político Cánovas del Castillo y otros muchos que no hay por qué citar aquí.

De la novela histórica moderada, la más equilibrada de las tendencias de la novela histórica, hubo de salir la variedad o subtipo de la *novela histórica regional;* es decir, de la novela histórica que, cultivada por los autores vernáculos, exalta las tradiciones regionales; se trata de una novela histórica de universo más reducido, pero cuya función no es puramente artística, sino política —siempre hasta cierto punto—; sirva de ejemplo los nombres de los vascos José María Goizueta, Santiago Monteli, Juan V. Araquistáin y Vicente Arana (Jon Juaristi, 1986). Sin duda, se podrían también encontrar algunos nombres de escritores catalanes y gallegos, aunque ya en estos dos últimos casos citados existe una tendencia a escribir en la propia lengua regional.

De la misma manera que la novela histórica liberal podía desembocar en una novela politizada en demasía, a veces puramente panfletaria, de la tendencia de la novela histórica moderada surgen obras que se radicalizan, hasta llegar a la tesis, en el sentido tradicional y católico; basta recordar al ya citado Navarro Villoslada y a otros, como Fernando Patxot y Ferrer, Amós de Escalante, etc. Novelistas que no es posible, sin embargo, incluir en la tendencia prerrealista o dualista, ya que, de una manera o de otra, se mantienen en los siempre imprecisos límites de la novela histórica, pero que tiñen sus páginas de un fuerte relente a propaganda más o menos justificada.

De la novela histórica, liberal o moderada, surge también lo que podríamos llamar la *novela arqueológica:* novela en la que la reconstrucción del universo histórico es la única preocupación del escritor. Novela, como es lógico, cultivada sobre todo por eruditos e historiadores, como los arabistas Francisco Javier Simonet y Rodrigo Amador de los Ríos, a mediados de siglo. Un Gregorio González de Valls llevó este estilo o manera hasta la cumbre y escribió una novela en fabla del siglo XIII, la titulada *El Caballero de la Almanaca* (1859). El último de los novelistas arqueológicos, y que también cultivó otras tendencias, parece ser J. R. Mélida, que publicó en 1880 *El Sortilegio de Karnac,* una excelente novela de ambiente egipcio que merece la reimpresión.

Para concluir, habría que rastrear los orígenes de la *novela histórica nacional* o *episodio nacional* en esta producción de novelas históricas.

Existen, desde las primeras décadas del siglo, novelas

que intentan historiar o, mejor, novelar la historia contemporánea, aunque solamente después de 1868, y gracias al genio de Pérez Galdós, el episodio nacional adquiere su forma definitiva.

Una novela histórica nacional o un episodio nacional se caracteriza por novelar la historia reciente, y no solamente la novela, sino que emite, esta novela, un juicio político sobre la totalidad que historia. En un episodio nacional no hay posibilidad alguna de escaparse en el tiempo, ha de intentar una reinterpretación de la propia historia de su tiempo (este tiempo novelado puede ser el mismo del autor o el muy inmediato anterior. Algún crítico señala este límite temporal en el tiempo del abuelo del autor; éste recogería así una tradición oral).

Sobre el episodio nacional o novela histórica nacional cabe decir también que es una pura creación de la novelística española (véase «Análisis 2»).

5. EL COSTUMBRISMO

Entiendo por *costumbrismo* la expresión literaria descriptiva e inmovilizadora de la realidad, por oposición a la descripción científica, que totaliza al nivel conceptual, y por oposición también a la descripción dialéctica de la realidad, caso de la novela. El costumbrismo *informa* de la realidad, pero no la significa; la mayor parte de las veces ni siquiera la explica. Pero lo peor (sin que este peor sea un juicio moral) o más característico del costumbrismo, su esencia misma, reside en una visión idealizada de la realidad que determina toda la obra, que determina también la descripción de esta realidad.

El costumbrista suele partir de una moral, de una política, de una ideología en suma, que al no ser debatida en la obra atraviesa incólume la misma. Lo contrario ocurre con el novelista, que, aunque parta de una moral, de una política, etc., la materialización de la realidad le obliga, a veces, al novelista, a corregir, a modificar su punto de partida. El material literario (en el sentido de materia musical) es sometido en el campo de la Literatura a un tratamiento técnico y artístico, que impide toda petrificación, que impide sobre todo que la obra así materializada sea únicamente una demostración, una especie de glosa, del supuesto ideológico que la inspiró.

El costumbrismo, al *fijar* la realidad, al tomarla como algo inmóvil y *en sí* mismo, se escapa en parte (y sé que esto sonará a blasfemia) del campo de la Literatura; por eso el costumbrismo y el periodismo se encuentran tan íntimamente imbricados; por eso, también, un crítico tan avisado como Montesinos insistía sobre «la influencia letal» del costumbrismo sobre la novela. Por eso, finalmente, no hay posibilidad de definir el costumbrismo: cuentos, cuadros, escenas, artículos, críticos, irónicos, burlescos, etc., todo cabe en este cajón de sastre.

Si desde el punto de vista formal es muy difícil describir o definir el costumbrismo, desde el punto de vista del contenido podemos encontrar algunos puntos esclarecedores. Formalmente, el artículo, el tipo, la escena, etc., lo mismo puede incluirse en la prosa novelesca que en la prosa periodística; a veces, cuando en el artículo costumbrista el autor se lanza a regiones más altas, incluso podemos encontrar ciertas concomitancias con la prosa científica; si la prosa científica intenta totalizar, al nivel conceptual, el costumbrismo, generalmente totaliza, al nivel de la representación, al materializar como *tipo* lo que sólo es —debía ser— individuo.

El costumbrismo, y atendiendo a su contenido (es decir, a su visión del mundo o más íntima problemática, ya que contenido y forma es dicotomía pasada de moda), se nos muestra como una descripción muy seleccionadora del universo: en realidad, el costumbrismo mira al mundo con ojos mesocráticos; para él no existe ni la clase aristocrática, que desprecia, ni la clase trabajadora, que ignora; su mundo es un mundo de pequeños comerciantes, tratantes, vendedores y compradores, de pequeños empleados, de pequeños aventureros también; de vez en cuando, pero sólo por un afán de color, por una sed de aventura que se esconde en todo pequeño-burgués, el costumbrista pinta un presidiario, un contrabandista, etc.; son las conocidas excepciones que explican, más que confirman, la regla.

Un costumbrista como Mesonero Romanos, para citar el ejemplo más conocido, cree en la armonía preestablecida del mundo; de esta manera, el costumbrismo liquida alegremente el romanticismo, aunque del romanticismo, o de un cierto romanticismo, haya tomado más de un tema. Los románticos contemplan un mundo dividido, un mundo en que pobres y ricos se habían transformado en caballeros y campesinos; pero el costumbrista, como apunté, ignora a estas clases, y de este modo prefigura, en su visión del mundo, el universo pequeño-burgués de los grandes realistas del 68.

Es curioso observar que el costumbrista *puro* suele huir de la política, que no busca el combate, que lo rehuye incluso; esta posición no quiere decir que al costumbrista le falte un ideal político, sino que este ideal se manifiesta en su inmovilidad: el costumbrista ignora la lucha de clases, porque en su universo no hay ni cumbres ni abismos; el costumbrismo es así el justo medio, siempre pequeño, siempre ramplón, del comerciante medio que mide y valora con arreglo a una racionalidad de bajo vuelo.

Y, con todo, el costumbrismo es un «género» o al menos una *prosa* que se ha infiltrado en el periodismo, en la novela y hasta en ciertas obras científicas o filosóficas; su mediación, obstaculizadora o favorecedora, ha de ser estudiada por una crítica que hasta el momento sólo se ha preocupado de enaltecerlo.

La historia del costumbrismo en el siglo XIX parte del XVIII (sátira y utilidad), durante un primer momento cultiva la tradición dieciochesca; se politiza después —Guerra de la Independencia y primeros movimientos o despertares románticos— y en un tercer y definitivo momento se inmoviliza y alcanza su punto más alto. Cronológicamente, pues, podemos encontrar no una evolución en el costumbrismo, puesto que no evoluciona y nace perfecto, sino tres aspectos diferentes de un mismo modo de hacer y de escribir, incluso de ver.

a) *Costumbrismo tradicional*

Heredero de la tradición cultural que arranca del siglo XVII, con Juan de Zabaleta y Francisco Santos, sobre todo. Costumbrismo moralizante y satírico que ataca, siempre ligeramente, toda exageración en el vestir, toda exageración en el gastar, toda exageración en el decir o en el pensar. Costumbrismo que se quiere casticista, moral, íntegro, pero que en realidad defiende los valores en el poder.

En las dos primeras décadas del siglo, esta «tendencia» satírica y moral está representada por Pedro María de Olive, publicista y traductor; Antonio de San Román; Eugenio de Tapia; y ya en 1830, por Ramón Soler, entre otros. El mejor, sin duda, es Eugenio de Tapia, que publicó en Madrid y en 1807 un libro titulado *Viage de un curioso por Madrid,* magníficamente escrito y en el que ataca a los afrancesados en el decir y en el pensar. Abundan también, por la misma época, panfletos contra los afrancesados, currutacos, amadamados, petimetres, etc., pero hay que notar que este ataque contra los afrancesados no es político: se ataca a los galicismos, no a los representantes de la revolución burguesa.

b) *Costumbrismo político*

Nace con el romanticismo, nace también con la politiza ción guerrera de la época y con la efervescencia social que sigue; se manifiesta casi inmediatamente, por medio de una serie de librillos y otras obras pequeñas, contra los afrancesados y contra los franceses; esta vez el ataque es político y hasta radical. Costumbrismo que suele abarcar en el panfleto político, puesto que no hay posibilidad de mantenerse inmóvil cuando se quiere atacar al poder y no, únicamente, corregirlo. Costumbrismo radical que suele escaparse de las reglas del «género».

Esta «tendencia» del costumbrismo produce una serie de obras más interesantes que las producidas por la «tendencia» anterior; en ellas podemos encontrar, ante todo, una posición política contra o a favor del régimen, lo cual quiere decir que muchas de estas obras hubieron de publicarse en el extranjero o aprovechando las siempre breves pausas de libertad de prensa de la época.

En 1804 apareció en Madrid el *Viage de un Filósofo a Selenópolis,* sin nombre de autor, y que presenta la originalidad de constituir una auténtica novela utópica: se defienden los valores burgueses e individualistas, el comercio, la industria, los aranceles protectores incluso. Un Juan Cosme Nergán defiende a la Iglesia y también, en curiosa amalgama, las corridas de toros en 1813 *(Las corridas de toros vindicadas por un chispero).* Pedro Nolasco Martín Carramolino publica *El tostoneo, meneo y mosqueo: Gabinete de locos coronados,* ingeniosa sátira contra los absolutistas (Madrid, 1821). Hay que señalar también en esta «tendencia» al publicista, liberal y afrancesado Sebastián Miñano (1799-1845), autor de las famosísimas *Cartas de un holgazán,* obra política y costumbrista a la vez; más costumbrista se muestra en su *Cuadro comparativo entre la España de hace sesenta años y la actual,* que apareció en París en 1834. Señalemos por último a un Pedro Martínez López, que publica en Burdeos, y ya en 1836, *Una noche en el Infierno,* feroz ataque contra Martínez de la Rosa, ministro, y sus compañeros del Estatuto Real: Martínez López es un exaltado que no puede pechar con las componendas de los liberales en el poder, y pertenece al equipo que apodó a Martínez de la Rosa con el gracioso remoquete de *Rosita la pastelera.*

No hay duda de que tendríamos que añadir aquí el nombre de Mariano José de Larra (1809-1837); de 1828 a 1835 publicó la mayor parte de sus artículos periodísticos, políticos y costumbristas: *El Duende Satírico del Día,* el *Pobrecito Hablador,* la *Revista Española* y otros folletos sueltos. Larra politiza constantemente más que describe: trata de combatir y destruir por medio de la sátira y de la burla más o menos fina todo lo que juzga atrasado en su momento y en su país; es así un europeísta, pues pone siempre que puede a la Europa política de entonces, Francia e Inglaterra sobre todo, como modelo. Larra, que arremete contra carlistas y defiende la libertad con todo entusiasmo, acabará en los últimos años de su vida y de su producción por encerrarse en un desesperado pesimismo: el país no tiene remedio, los enemigos de la libertad triunfan.

Larra, sin embargo, se escapa de los siempre estrechos límites del costumbrismo, y no exactamente por sus obras literarias (poesías sin mucho valor, obras dramáticas pasaderas, una buena novela), sino precisamente por sus artículos. Larra fue un verdadero romántico: un hombre en ruptura con el mundo, con la sociedad, pero esta ruptura es clarividente y se materializa en una crítica amarga de la sociedad; para Larra, el mundo es malo y la sociedad española está muerta. Su visión pesimista y una desgracia amorosa le conducen al suicidio.

La figura de Larra o su manera de pensar, más que sus artículos, ha perdurado a través de los años: durante más de un siglo los españoles han creído encontrarse en Larra; éste viene a representar, creo, la «mala conciencia» española, y así se une con el sentimiento del «desengaño» que inspiró un buen número de obras de nuestros clásicos.

Larra, romántico e inteligente suicida, continúa viviendo entre los españoles que no acaban de integrarse o conformarse con la España que les ha tocado vivir.

c) *Costumbrismo*

No hay por qué rematar esta palabra con ningún adjetivo, ya que nos encontramos ante el costumbrismo «puro»; la tradición se ha perdido, aunque en realidad el costumbrismo tradicional es recogido, pero a partir de una nueva visión clasista. Se pierde también, y sobre todo, cualquier clase de politización: al costumbrista de la presente «tendencia» no le interesan las luchas políticas; conserva en cambio, o únicamente, la moralidad reformadora de siempre y una cierta sátira, a veces irónica —con distanciamiento—, a veces puramente humorista. Este costumbrismo, el de más larga vida en España, influye de una manera o de otra no solamente en el periodismo, con el que llega a hacerse consustancia, sino también en la novela.

El contacto y hasta el matrimonio entre costumbrismo y periodismo se efectúa, sobre todo, por medio de las revistas costumbristas y literarias: en ellas colaboran lo más florido del ejército costumbrista y también una buena parte del resto de los intelectuales, literatos o científicos. Revistas que revolucionan el género al presentarse por primera vez como publicaciones cuidadas e ilustradas (florecen en esta época la mayor parte de los dibujantes y pintores románticos y posrománticos); citemos solamente *El Mundo Pintoresco, El Museo de las Familias* y las colecciones de artículos tituladas *España vista por los españoles, por las españolas,* etcétera.

El noviazgo, aunque nunca matrimonio, entre costumbrismo y novela lo vamos a ver, sobre todo, en el prerrealismo dualista que estudiaremos a continuación; pero no sólo el costumbrismo afecta el modo de hacer de una novelística que no encuentra, aún, la totalización deseada, sino que inspira directamente ciertas obras novelescas que, para empezar y no renegar de su origen, se subtitularán *novelas de costumbres.* La novela género, como sabemos, no puede ser costumbrista, no puede consistir en una descripción inmóvil, pero el costumbrismo triunfante e invadidor logra hacerse presente en buena parte de la producción novelesca, destruyéndola así, y en parte como género.

Imposible trazar ni siquiera una lista aproximada de los costumbristas que publicaron sus obras desde los años 30 hasta 1868; podríamos decir, con toda propiedad, que todos son costumbristas, pues no hay novelista, ni dramaturgo, ni poeta que no haya colaborado en algún periódico o revista y publicado un *artículo,* un *cuadro,* más o menos descriptivo; de esta regla no se escapa ni Bretón de los Herreros, ni siquiera Pérez Galdós. ¿Existe, pues, un costumbrista puro, un especialista que sólo haya escrito cuadros, bocetos, tipos? Creo que no, pues hasta Mesonero Romanos puso mano en más de una novela.

Citemos, sin embargo, algunos nombres que sobresalieron en el campo del costumbrismo. El primero de todos, papa del «género» entero, es Ramón Mesonero Romanos (1802-1882), fundador de *El Semanario Pintoresco Español* (1836), verdadera biblia del costumbrismo; sus principales obras o colecciones de artículos se titulan *Panorama Matritense* (1832-1835) y *Escenas Matritenses* (1836-1842); Mesonero es un enamorado de Madrid, al que describe y cuyas costumbres recoge con todo cariño y, a veces, hasta con una cierta emoción. Su actividad en el campo del periodismo y del costumbrismo no debe hacernos olvidar que Mesonero fue también un erudito y el amable escritor de *Memorias de un setentón*.

De muy difícil catalogación es Serafín Estébanez Calderón (1799-1867), encomiado por su sobrino Cánovas del Castillo hasta los límites de toda exageración. Estébanez es también un erudito bibliógrafo, en lucha sorda y poco limpia con el también erudito y bibliógrafo Bartolomé José Gallardo, y autor de unas *Escenas Andaluzas* (1847) eminentemente costumbristas por la inspiración, pero de tan retorcido idioma, con tanto arcaísmo, que más parecen ejercicios de estudioso que prosa literaria. También intentó la novela con *Cristianos y moriscos* (1838) y con las mismas características: falta de acción, perezosa descripción de atuendos y paisajes y diálogos interminables, plenos de arcaísmos que el autor cree llenos de color.

Antonio Flores (1821-1866), novelista de costumbres con su *Fe, Esperanza y Caridad* (1850) y famoso por sus cuadros costumbristas *Ayer, hoy y mañana* (1853) y otras obras.

Ramón de Navarrete (1822-1889), uno de los más fecundos escritores costumbristas, además de novelista, colaboró en casi todos los periódicos y revistas de la época.

Braulio Foz (1791-1865), profesor y humanista aragonés, puede incluirse también entre los costumbristas por su novela *Vida de Pedro Saputo* (1844), de nuevo editada y bien estudiada en la actualidad (1986). La obra de Foz quizá se escape al puro costumbrismo, pero tampoco se acerca a lo que será novela realista.

Otros nombres típicamente costumbristas: Antonio Neira de la Mosquera; José María de Andueza, también novelista: José de Grijalva; Santos López Pelegrín, buen poeta, etc.

En *Los españoles pintados por sí mismos* (1843-1844) colaboran más de un medio centenar de costumbristas, más o menos puros, más o menos emocionales; la lista, sin embargo, no es completa.

6. EL MEDIO SIGLO

Los años cincuenta del XIX nos muestran una España en desequilibrio político: las dos grandes y antiguas familias, absolutistas y constitucionales, se han convertido ahora, de una manera general, en moderados y progresistas: en las filas de los moderados se han integrado, siempre hasta cierto punto, gran parte de los elementos del antiguo régimen; los progresistas, los liberales puros, se hallan divididos en diversas familias. La Constitución de 1845, y hasta que llegue la de 1855, que virtualmente no rigió, es un triunfo moderado: la religión católica es la religión del Estado, el Trono se halla íntimamente ligado a la Nación, el sufragio es económicamente restringido y los senadores son nombrados por la Corona.

El 48 europeo había demostrado, por primera vez en la Historia, la imposibilidad de continuar rigiéndose por los principios burgueses revolucionarios; por primera vez había aparecido la fisura que iba a inspirar, a determinar, la historia de todo el siglo XIX, y también del nuestro: la burguesía se enfrenta con el proletariado, la lucha de clases se revela como el esqueleto social de la historia y la revolución burguesa detiene su marcha ascendente, es decir, revolucionaria. El 48 francés y europeo no pudo, claro está, repercutir en España con la misma violencia que en el resto de una buena parte de las naciones europeas, entre otras razones porque el desarrollo industrial español se encontraba muy por debajo de sus más directos concurrentes, con lo que la clase obrera española no era tan fuerte, por ejemplo, como la francesa. Con todo, hubo una serie de intentonas que el general Narváez se encargó de reprimir con su habitual violencia. La burguesía española, moderada en estos momentos, necesita orden y tranquilidad para montar su industria, sus ferrocarriles, etc.; pero si la industrialización va despacio, el agiotaje, los negocios bursátiles van tan deprisa que estalla la insurrección popular. La *vicalvarada* de 1854 permite de nuevo a los progresistas subir al poder: al binomio, más que conceptual, de trono-nación se opone ahora el dogma de la soberanía nacional, en un intento, que no será definitivo, de totalización burguesa, de racionalización también.

Los moderados, demasiado fuertes, y los progresistas, demasiado débiles, pugnan por el poder político, y pronto, 1856, los moderados van a imponer su política, que durará hasta la revolución de 1868. Hay que señalar que los hombres del 54, los *vicálvaros,* como se los llamó, aunque militaban en las filas del progresismo y aunque más tarde intentaron sobrevivir bajo el ambiguo lema de la Unión Liberal, se encontraban ya en contradicción con el pueblo, campesinos y obreros; en contradicción también con el ala más extrema del progresismo, demócratas y republicanos, y que su incondicional alianza con el Trono acabaría por dejarlos sin ninguna base social. Los verdaderos progresistas, desengañados, pasan a la ilegalidad en 1863 y preparan, desde España y desde Inglaterra, su revolución.

Si la vida política se encuentra irremediablemente escindida, la vida cultural se escinde también: no hay posibilidad alguna de una vida o de una actividad cultural independiente: todo profesor, escritor, artista, pertenece a un equipo político. La ideología en el poder, totalizante, no permite tampoco ninguna independencia (el Concordato con el Vaticano de 1851 va a detener, a partir de 1857, los efectos de las leyes desamortizadoras de Madoz de 1855; la Ley de Claudio Moyano, aunque significa un gran avance en todo lo referente a la educación y enseñanza, no logra independizar a esta última, del catolicismo en el poder, ya que se promulgó en 1857, año en el que los moderados detentan el poder).

No es que falten corrientes culturales o vida cultural en suma, sino que la radicalización política no permite ninguna independencia; y aunque los krausistas, por ejemplo, surgen a mediados de siglo y son portadores de una ideología esencialmente totalizante (no escindida), los profesores krausistas perderán sus cátedras, que no volverán a recuperar hasta después de la revolución del 68. Los hombres son así definidos por su ideología política más que por su ideología artística; por su religión más que por su filosofía. El quehacer intelectual, creativo, no puede zafarse de la radicalización social que lo determina, que le exige una toma de posición. No existe tampoco, a mediados de siglo, y habrá que esperar los tiempos de la Restauración borbónica, una paz que, a falta de términos, llamaremos social. Las algaradas, los motines, las barricadas, los pronunciamientos se suceden sin tregua, y los moderados en el poder no logran aglutinar las dispersas y encontradas fuerzas políticas.

En este ambiente, la prosa es, ante todo, una prosa politizada y surge con fuerza el periodismo en Madrid, Barcelona y Valencia, sobre todo. La novela, dualista y también radicalizada, entra en la vida cotidiana del español: en volumen y sobre todo por entregas, la novela llega a todos los españoles de las ciudades.

El prerrealismo novelesco no arranca exactamente de este ambiente colectivo, sino que, mejor, corresponde con toda exactitud a esta escindida conciencia colectiva que no encuentra paz ni equilibrio. No se trata aquí de caer en un fácil causalismo, sino de señalar una coincidencia, que no lo es, ya que vida política y vida cultural no son más que dos materializaciones de un solo momento histórico. Esto no quiere decir que el novelista prerrealista ha de ser por fuerza moderado o progresista (que bien frecuentemente ocurre así), sino que el novelista se encuentra inspirado y hasta determinado por el dualismo destotalizador de su momento social.

Finalmente, a medidados de siglo tiene lugar en España el gran desarrollo urbano: ciudades como Madrid, Barcelona, Valencia y Sevilla se desarrollan industrialmente; en paralelo existe ya una concentración obrera (hay más de 250.000 obreros en 1850); la industria editorial aprovecha la coyuntura y establece el método de publicación llamado entrega; si el libro varía entre cuatro y diez reales, la entrega sólo cuesta un real, aunque éste se pague durante un año o dos, una vez por semana. Con todo, el área del lectorado ha de crecer en proporciones muy apreciables.

Si añadimos a estas publicaciones, que fueron numerosas y hasta copiosas (hubo entregas que se publicaron a más de 10.000 ejemplares), el desarrollo del periodismo, de las revistas, etc., tendremos que concluir que un gran cambio se está operando en España en todo lo referente a las bases materiales de la vida cultural.

7. El prerrealismo en la novela

Al indudable dualismo político corresponde, al nivel cultural, un no menos indudable dualismo moral. No existe, sin embargo, una exacta bipolarización a ninguno de los dos niveles, y solamente cuando las circunstancias sociales se radicalizan, los dos campos, políticos, morales, aparecen escindidos con toda claridad.

El prerrealismo es así, en el campo de la literatura novelesca, la materialización de un dualismo político-moral que aparece a medidados de siglo y que no ha terminado todavía. La novela histórica, con excepciones y a pesar de su colaboración política, era una novela romántica, en la que las fuerzas desatadas del ego rompían, o intentaban romper, con todo dualismo; existía, claro está, el dualismo constructivo protagonista-universo, necesario para que la novela se materialice como tal novela, pero no existía con precisión el dualismo moral o el dualismo político, que vamos a encontrarnos en la novela prerrealista.

A medidados de siglo el romanticismo había terminado su corta y brillante carrera; los costumbristas amalgamaban, con más o menos arte, pero con estupenda técnica, la herencia dieciochesca, de tipo utilitario y moral, y la herencia romántica, satírica sobre todo. El novelista de 1850, el prerrealista, comienza por incrustarse en la corriente costumbrista, recogiendo, por ejemplo, el *tipo* y la *escena,* pero inmediatamente surgen las novedades: el prerrealista opera un nuevo reconocimiento de la realidad, del mundo, del universo, al intentar reproducirlo en su movilidad; el costumbrista es el artista de lo inmóvil: el cuadro, la escena, es como un decorado pétreo, y, de la misma manera, el tipo aparece y desaparece del relato costumbrista sin haber sufrido la más pequeña transformación. El prerrealista, al reconocer una nueva virtualidad del universo, dota a sus protagonistas de un nuevo movimiento; el universo del prerrealista opera, influye en él o en los protagonistas y la novela, la nueva novela no romántica, nace a partir de este momento.

Sin embargo, las influencias, las concomitancias entre costumbristas y prerrealistas continúan visibles: el prerrealista recoge del costumbrista uno de los elementos más antinovelescos: el dualismo moral, político y hasta religioso. El universo del costumbrista, en su inmovilidad, era también dualista; el nuevo universo novelesco, y a pesar de su movilidad, continuará siendo dualista. El intento de objetivación del prerrealista se ve así frenado por una herencia cultural y social de la que no puede escapar.

La discusión entre los que defienden al costumbrismo como padre del realismo y los que niegan este parentesco está, aún hoy, abierta; el problema, sin embargo, es un falso problema, ya que nos encontramos ante dos «géneros» literarios diferentes y hasta opuestos; no hay duda de que si hubo influencia por parte del costumbrismo, ésta tuvo que ser letal, como sostiene Montesinos (de la misma manera, la lírica que influyera en la novela perjudicaría a esta última). El costumbrismo existe ya cuando llega el prerrealismo en la nueva novela de mediados de siglo, pero esta influencia impidió el paso al realismo novelesco, ya que el dualismo, verdadera problemática explicativa del costumbrismo, al materializarse en novela, impidió la totalización significativa que llamamos realismo.

El prerrealismo, de una manera general, puede caracterizarse de la siguiente mancra: intento de objetivación del universo que se traduce inmediatamente por un mayor enriquecimiento de la novela. Una mayor movilidad de los protagonistas, que se traduce por una posible transformación de los mismos, con lo que la materialización costumbrista se convierte en historia, esto es, en novela. Un nuevo estilo: surge la descripción del universo, recreación imperfecta, ya que es excesivamente seleccionada, casi moralmente seleccionada (los prerrealistas, como diría un iberoamericano, «pintan bonito»). Aparecen por primera vez diálogos dignos de este nombre, en contra de las explosiones liricoafectivas románticas.

Con todo, este enriquecimiento del material novelesco adolece de ciertos defectos: abundan los juicios de valor, tan antinovelescos por lo antiobjetivos; el lenguaje, de una manera general, es excesivamente depurado y tiende al amaneramiento; los protagonistas tienden también, como era de esperar, al paradigma, pero esta tendencia se encuentra templada, siempre hasta cierto punto, por el empuje del nuevo universo, más o menos objetivo, que pugna por conquistar a los protagonistas novelescos.

El prerrealismo no logra desprenderse nunca de sus prejuicios morales (a veces moraliza a troche y moche) y del novelar prerrealista van a derivar todas las novelas que llamamos «de tesis», que no son más que la demostración «real» de una apuesta moral resuelta de antemano por el autor, desde el mismo momento en que ha comenzado a escribir la novela. Huellas del prerrealismo las vamos a encontrar, así, hasta en los mejores realistas del 68 (una novela como *El Escándalo,* de Alarcón, puede estudiarse juntamente con una novela de «Fernán Caballero»). El problema, teóricamente, no reside en el determinismo, que se pondrá de moda con la escuela naturalista, sino en que el determinismo escogido como causal sea o no sea real, objetivo, significativo en suma.

Queda finalmente, y antes de la selección que sigue, el problema de una serie de novelas producidas durante el prerrealismo y que, a pesar de estar mediatizadas por él, intentaron romper los límites del dualismo; estas novelas, sin clasificación posible, podrían muy bien constituir los antecedentes, en el sentido literario, de la gran novela realista del 68. Citemos algunos nombres: Eugenio de Tapia (1776-

1860), y que ya estudiamos como costumbrista, publicó en 1838-1839 su novela *Los cortesanos y la revolución*, subtitulada *Novela de costumbres*, obra algo más que prerrealista sin llegar a lo realista; lo mismo ocurre con la novela de Jacinto Salas y Quiroga (1813-1849) titulada *El dios del siglo* (1848) y subtitulada *Novela original de costumbres*. Obra aparte entre las incatalogables, la novela de Braulio Foz (1791-1865) titulada *Vida de Pedro Saputo*, que apareció en 1844. Lo mismo cabría decir de algunas «novelas» de Miguel de los Santos Álvarez (1818-1892), de Antonio Ros de Olano (1808-1887) y de algunos otros, incluso de los citados a continuación, pues es muy difícil distinguir «al límite» entre una obra prerrealista y otra realista (como será muy difícil la distinción entre una realista y otra naturalista). De todos modos, se trata de clasificar una producción, y la existencia de obras «límites» o incatalogables, aunque es muy conveniente su estudio, no debe invalidar la clasificación general propuesta.

8. «FERNÁN CABALLERO»

Cecilia Böhl de Faber (1796-1877), que firmó todas sus obras con el seudónimo de «Fernán Caballero», es considerada por la crítica como el primer novelista prerrealista o realista que apareció en el siglo XIX, y que influyó de una manera decisiva en toda la novelística española. Naturalmente hubo autores y títulos anteriores a «Fernán Caballero», pero ninguno logró la popularidad y, sobre todo, el impacto de nuestra autora.

«Fernán Caballero» había empezado por escribir en alemán y en francés, y su primera novela, *La Gaviota*, que apareció en *El Heraldo* de Madrid, en 1849, está traducida del francés por José Joaquín de Mora. «Fernán Caballero», educada en el romanticismo, alemán sobre todo, rompe pronto con él e inaugura una nueva tendencia: la prerrealista y dualista; la autora recoge del costumbrismo español una parte de su hacer, recoge también del pueblo andaluz cuentos, tradiciones, costumbres, cantares, etc.; heredera, a pesar de todo, del romanticismo, conservará un cierto sentimentalismo, que es la forma edulcorada de la rebelión romántica (es «el velo de sentimentalidad germánica», como dice Valera) y cierto sentido dramático.

La obra de «Fernán Caballero» llega a los 19 volúmenes, según las ediciones, y en ella podemos encontrar las siguientes tendencias: prerrealismo regional (*La Gaviota, La Familia de Alvareda* y las scries de *Relaciones* y cuadros de costumbres), prerrealismo ciudadano (*Un verano en Bornos* y otras) y prerrealismo de tesis (*Un servilón y un liberalito* y otras).

Quedan fuera de la anterior clasificación: *Clemencia* (1852), de claro sabor autobiográfico, y *Lágrimas* (1853), novela de difícil lectura, pues las descripciones costumbristas y las digresiones morales abogan toda sombra de argumento, pero obra hasta cierto punto importante, pues pone en escena a dos usureros, la fuerza y también las víctimas del dinero.

Las tres tendencias señaladas se parecen porque responden a una misma visión dualista del mundo, dualismo moral y político; varían, sin embargo, en la graduación de este dualismo, en la diversidad de temas y en la importancia o ausencia de los resortes dramático-sentimentales. En las obras del prerrealismo regional, las de mayor influencia finalmente, «Fernán Caballero» logra encarrilar todo un novelar, arrancado de la inmovilidad costumbrista a todo el génro. Sus dos mejores títulos son *La Gaviota* y *La Familia de Alvareda*.

En *La Gaviota*, la autora combina las escenas del campo costero andaluz con cuadros de Sevilla y Madrid; sus personajes pertenecen, en principio, a todas las clases sociales, aunque todos estén descritos y valorados según una misma óptica: el alemán Stein, espejo de maridos; el duque de Almansa, ejemplo de amantes castos, y el torero Vera, paradigma de vulgaridad y segundo marido de la *Gaviota*, protagonista, muy vivamente pintada, de la obra.

En *La Familia de Alvareda* (1856) el universo novelesco se reduce y se carga de tintas dramáticas: en realidad nos hallamos ante una velada resurrección romántica, que nos cuenta el asesinato de Perico, que mata al amante de su mujer, se une a unos bandidos y acaba muriendo, justicia obligada, en la horca.

Las obras del prerrealismo ciudadano dejan fuera el universo regional y se mueven en ambientes discretos, aristocráticos y desde luego siempre distinguidos; desaparece también la nota dramática y aparece la levemente sentimental; son novelas equilibradas y ejemplares, en el sentido moral del término; existe el análisis psicológico y la prosa, tanto descriptiva como dialogal, es la mejor que ha escrito la autora; *Un verano en Bornos* (1858), el mejor título.

El dualismo moral, más o menos discreto, de las dos anteriores tendencias se vuelve político en los libros que responden al calificativo de *prerrealismo de tesis*. Aquí la autora se ve obligada a pintar con los más negros colores a los liberales y con los mejores a los, ¿cómo diríamos?, antiliberales, conservadores y católicos. El mal artístico no reside en que existan malos liberales y buenos absolutistas, sino en que toda la problemática de la obra consiste en materializar este dualismo como una demostración. El prerrealismo de tesis, que traerá larga cola en la novelística decimonónica, es siempre un prerrealismo dualista de bajo vuelo, que atenta contra una de las leyes inmanentes del género novelesco: la que consiste en respetar la libertad de acción, las relaciones entre protagonista y universo.

La obra de «Fernán Caballero» puede parecernos hoy (y también debió de pensar así el noveslita del 68) una novela excesivamente moralizadora («predica demasiado», apunta también Valera): la autora está constantemente presente en la obra y se materializa de la manera más antipática posible, predicando siempre la misma moral y la misma filosofía política; pero si «Fernán Caballero» nos puede parecer hoy como un autor anticuado, hay que darse cuenta de lo que significó su obra en el momento de su aparición: por un lado, sabemos que el dualismo social no permitía una totalización novelesca como la que se iba a producir con la revolución; pero, por otro lado, la novela y la prosa de los años 50 se encontraba anclada en el romanticismo, en vías de desaparición, y en el antinovelesco costumbrismo sin evolución novelesca posible. En este contexto, la obra de «Fernán Caballero» significó una verdadera revolución artística; creó, en cierta manera, una novela moderna, dio entrada en la novela a la siempre ansiada y buscada realidad y, sobre todo, modificó para siempre los estrechos, entonces, cauces novelescos; enseñó a novelar a partir incluso de los elementos más costumbristas y regionales («Fernán Caballero», como Bécquer, liquidan la oratoria escrita de filiación romántica).

«Fernán Caballero» fue finalmente la creadora de una novela dualista que iba a producirse durante todo el siglo. Aquí, en cuanto al dualismo o problemática dualista de la novela se refiere, quizá no haya hecho excesivo hincapié la crítica. Sin embargo, «Fernán Caballero» no es sólo la novelista revolucionaria que acaba para siempre con las altisonancias románticas en la prosa, sino la fundadora de una especie de «sistemática» en cuanto a la estructura intencional de la novela se refiere. A partir de su obra, muy politizada finalmente, entran en la novela todos los dualismos imaginables: ocurre como si se hubiera encontrado con una fórmula mágica. Los nuevos escritores que intentan imitar a «Fernán Caballero» parten siempre de una posición política o moral bien definida; a partir de esta posición sólo tienen que materializar la parte contraria, ya política o moral, poner en relación las dos partes, y dar la razón, como es lógico, a la política o moral que se defiende.

Tampoco existe ningún estudio que ligue la obra de «Fernán Caballero» con esa inmensa producción novelesca que llamamos novelas por entregas; sin embargo, una vez más, la mayor parte de las novelas por entregas son dualistas en el peor sentido de la palabra, es decir, recogen de la obra de «Fernán Caballero» sólo aquello que es más antinovelesco: la tesis moral o política, dejándose fuera el estilo realista, o prerrealista, el cuidado del detalle y de la descripción, la reproducción de diálogos populares, etcétera.

9. La novela por entregas

Puede parecer extraño que dediquemos un epígrafe a una forma de publicación, a un modo editorial, en vez de hacerlo, como lo hemos hecho hasta ahora, a un tipo de novela. Pero es el caso que la novela por entregas presenta tales características que, en parte, la forma acaba por dominar el contenido.

Por otra parte, mercancía y objeto artístico no son, en principio, conceptos antagónicos, puesto que la mayor parte de los objetos artísticos han vivido, viven y, sin duda, vivirán como mercancías. El libro, y en especial la novela, no se escapa de su comercialización; aún más, cuando la novela se presenta como objeto mediado (y ya veremos cuáles son estas mediaciones), no hay más remedio que estudiar el proceso entero que transforma una obra en principio, puramente literaria, en otra cosa, o mejor, en una verdadera cosa.

El proceso de publicación que llamamos novela por entregas (o, en su caso, novela de folletín, puesto que se publicó diaria o semanalmente como folletín en algún periódico) no parte de la novela, obra escrita por un autor que es entregada a un editor para que éste la publique y, en su caso, la comercialice, sino que parte generalmente del editor mismo.

Brevemente, podríamos describir así las *mediaciones* que afectan a todo el proceso de la novela por entregas:

a) *Los lectores:* En principio, pero sólo en principio, se trata de encontrar un área de lectorado muy determinada, casi acotada. Estos lectores son estudiados, preestudiados por el director, a fin de venderles, con las mejores ganancias, un producto.

b) *Los editores:* Mejor podríamos decir empresarios, puesto que nos hallamos ante verdaderos hombres de empresa. El editor piensa o programa la novela que ha de venderse a los lectores ya tenidos en cuenta, ya preestudiados o sondeados.

c) *Los autores:* Aunque parezca paradójico, en este tipo de novelas los autores no sólo no son independientes, sino que la mayor parte de las veces son simplemente productores al servicio de un patrón que les encomienda la tarea a realizar.

d) *Las obras:* Nos encontramos ante una estructura novelesca predeterminada, y esta predeterminación media y hasta determina la obra. No nos hallamos ante no velas más o menos independientes (que sólo dependen del autor), sino ante una verdadera sistemática enunciativa: ha de haber un lenguaje característico, un estilo llano o fácil, unos personajes conocidos ya, un tema dado por el editor y, lo que es más importante, una problemática (o conflictividad interna de la novela) también dada de antemano.

Ante esta situación, a poco que se reflexione, los métodos de estudio más o menos universitarios o clásicos no sirven, puesto que no nos hallamos ante novelas sino ante novelas muy especiales, o mejor, ante un proceso de novelación característico.

Veamos estos cuatro apartados, o *mediaciones,* un poco más despacio:

a) *Los lectores*

Ante todo, han de ser aquellos que no poseen medios económicos para comprarse un libro, un libro entero, de una vez, etc. Hasta estos años, la década de los 40, en los que comienza la industria de la entrega, el libro, como sabemos, era caro; o de otra manera, no todos se podían pagar de seis a diez reales que costaba un volumen. Con la aparición de la entrega, podemos decir, la clase trabajadora entra en el circuito comercial del libro; pero la clase trabajadora no puede disponer de seis o de ocho reales, y pagará solamente uno por cada entrega. Lo malo, o lo ruinoso para el comprador, consiste en que este real se va a multiplicar por las semanas de un año, o por más.

El lectorado ha de ser, pues, el económicamente débil, y éste es el lectorado obrero. Hasta esta década, por otra parte, no ha habido lo que se llama en Economía concentración industrial ni casi industrial, pero en 1857, por ejemplo, sabemos que los habitantes de algunas ciudades han crecido en número: Madrid posee 281.170 habitantes; Barcelona, 178.625; siguen Sevilla con 122.135, Valencia con 106.435 y Málaga con 92.611. Las provincias, incluso la . que sería más tarde industrial Bilbao, que sólo posee 17.649 habitantes, se desarrollan más lentamente.

Claro que no todo el lectorado pertenece a la clase obrera: si juzgamos o deducimos por las obras publicadas, podríamos incluso establecer tres categorías de lectorados: un lectorado obrero, un lectorado femenino y un lectorado pequeñoburgués, ya que a estos tres grupos de la sociedad están dirigidas la mayor parte de las novelas publicadas por entregas.

Una cifra a retener: en 1858 hay ya 260.000 obreros en España.

b) *Los editores*

A mediados de siglo, nos encontramos ya con una industria editorial bastante desarrollada; por número de imprentas instaladas (y no se puede hacer diferencias claras entre imprentas y librerías, pues éstas sólo más tarde se constituyen como negocios independientes) el orden de ciudades es el siguiente: Madrid, Barcelona, Valencia, Cádiz, Zaragoza, Sevilla, Valladolid, Murcia, Oviedo, Santiago de Compostela, Granada, Málaga, etc. Madrid va a la cabeza, con nada menos que 184 imprentas; Barcelona sigue con 41, y las restantes ciudades citadas van de 20 a 10 imprentas. No es, pues, una casualidad que la novela por entregas se publicara sobre todo en Madrid y Barcelona (a notar también que muchos editores catalanes, como los Manini, se instalaron pronto en Madrid).

Pero ¿qué es un editor por entregas? No nos encontramos ante la figura tradicional del editor, sino, como quedó anotado, ante un hombre de empresa, y la empresa es más bien original: el editor contrata los servicios de un escritor, al que paga espléndidamente para la época, le pide una entrega semanal y le paga cada semana; después, se preocupa por el papel y por la imprenta; a continuación viene una operación muy delicada: encontrar repartidores de las entregas que al mismo tiempo reciben las suscripciones de los lectores (hubo editores que se robaron los repartidores, y con ellos, claro, el lectorado).

El editor recibe el precio de las entregas cada semana y, como veremos, los beneficios son muy importantes. Una entrega puede tener tiradas de 8.000, 10.000 y hasta 15.000 ejemplares; pero pensemos en una tirada de 10.000, y son 10.000 reales semanales: con esta cantidad el editor paga escritor, repartidor, imprenta y papel. El editor no adelanta nada o muy poco, y aún más, puede detener la publicación cuando la venta descienda o deja de ser un negocio.

Hay testimonios de la época: el librero Benito Hortelano (1936) dice en sus memorias que empeñó una capa para emprender la edición de una entrega, y que ganó solamente con esta obra 28.000 duros (es decir, más de medio millón de reales) durante los quince meses que duró la vida entreguística del libro.

El editor por entregas no desembolsa ningún capital, no mantiene obreros ni fábricas, es más bien un empresario libre que paga al día a sus operarios y que, sin arriesgar gran cosa, puede ganar cantidades considerables para la época.

Claro que no todo es negativo en la figura de este editor: ha de ser lo suficientemente inteligente como para conocer los gustos de su lectorado; ha de inventar, a veces, el título y hasta el tema, y después ha de saber contratar al novelista capaz de poner negro sobre blanco lo que ha ideado.

c) *Los autores*

Habría que distinguir entre escritores novelistas, que escriben por entregas, y novelistas que publican por entregas. Sólo los primeros nos interesan, ya que los segundos no escriben entreguísticamente, sino que sólo sus editores les publican por entregas. Y así el que un Espronceda publicara por entregas su obra histórica, *El castellano de Cuéllar,* por los años 50 no significa nada, ya que esta obra, como sabemos, se había publicado en vida del autor, y en forma de libro, en 1834.

Nos referimos aquí solamente a los que podemos llamar con toda razón especialistas.

Un escritor por entregas especialista se ajusta con el editor por medio de un contrato; según este contrato el editor es dueño de la novela escrita (todas las novelas por entregas son *propiedad del editor,* según rezan las portadas de las obras). Las obligaciones de este escritor contratado consisten en entregar una cantidad fija de páginas por semana. Ahora bien, el editor puede siempre acortar estas entregas (si la obra no tiene éxito) o exigir al autor que continúe la obra durante más tiempo (si la obra tiene éxito).

A cambio de este trabajo semanal, el autor recibe una cantidad semanal muy alta para la época. Según Nombela (1910), un novelista como Fernández y González llegó a percibir hasta 50 duros diarios (1.000 reales) y el mismo Nombela cobraba de 300 a 360 reales por entrega; si la entrega era diaria esta cantidad queda fija, pero un especialista, como en el caso antes aludido de Fernández y González, podía entregar diariamente varias colaboraciones, varias entregas, y por eso llegaba a los 1.000 reales.

Tal modo de trabajar, se puede comprender fácilmente, empujó a los especialistas a no escribir sino a dictar sus obras. Para ello contrataron los mejores taquígrafos del momento, y los mejores eran los taquígrafos oficiales del Congreso de los Diputados.

Mucho dinero eran estas cantidades para la época, pero mucho más dinero ganaba el editor, que, como sabemos, arriesgaba muy poco, aunque pagara espléndidamente a sus colaboradores.

En estas condiciones, el novelista especialista en entregas es exactamente eso: un especialista que dicta y vuelve a dictar casi siempre la misma historia.

¿Cuántos novelistas por entregas hubo en el XIX? Aproximadamente unos 130 que llegaron a publicar dos millares de obras, y todos estos títulos, casi los 2.000 apuntados, constan de dos tomos. De este centenar largo de entreguistas decimonónicos, merecen recordarse, hasta el año 1868, los siguientes:

Wenceslao Ayguals de Izco, que empieza a publicar hacia 1844 y cultiva la novela política, la histórica y la dualista siempre, como veremos.

En este mismo año aparecen las obras de Juan Martínez Villergas, buen escritor y poeta, y de Alfonso García Tejero.

En 1845 empieza la ingente labor de Manuel Fernández y González, autor de unos 200 títulos, entre los que hay muy meritorias novelas históricas.

También empiezan en 1845 dos autores como Antonio Muñoz Maldonado y José Velázquez y Sánchez, sin mucho mérito.

En 1848 aparece Torcuato Tárrega y Mateos, verdadero especialista de la novela histórica, por llamarla de alguna manera, que inundó el mercado con un centenar de títulos.

Le siguen nombres como Juan de Dios Mora, Francisco José Orellana, muy politizado, y Antonio García del Canto.

En 1855 empieza a publicar su extensa obra Ramón Ortega y Frías, casi gemelo del ya citado Tárrega y Mateos y, como él, autor de un centenar de mal llamadas novelas históricas.

Manuel Angelón y Broquetas, que publica a partir de 1857, no es mal novelista; y también es de este año Julio Nombela y Tabares, que publicó cerca de 50 títulos, algunos de raro mérito.

Especialistas posteriores fueron Juan de la Puerta Vizcaíno, Rafael del Castillo, Florencio Luis Parreño y Antonio Altadill y Teixidó, que no merecen ser leídos.

Más notable, aunque de desmayado y flojo estilo, es Enrique Pérez Escrich, que inició su obra a partir de 1863. Pérez Escrich fue uno de los más populares novelistas moralizantes de su tiempo.

Poco más se podría añadir hasta la revolución de 1868; después de esta fecha, la producción por entregas decayó visiblemente, aunque continuaran escribiendo y publicando los ya citados, y hasta aparecieran otros nombres (Antonio de San Martín, Vicente Moreno de la Tejera, Enrique Rodríguez Solís, Pedro Escamilla, Julián Castellanos y Velasco, Manuel Martínez Barrionuevo y los dos últimos del siglo, el famoso en su tiempo Luis de Val y nada menos que Vicente Blasco Ibáñez).

Los autores especialistas dominaron un mercado desde 1844 hasta la revolución de 1868, pero claro está que también después de la revolución, e incluso aprovechándose de la misma, siguieron publicando (existen títulos revolucionarios para todos los gustos). Con todo, después de 1868 la novela por entregas es sólo una repetición de temas y de estructuras.

d) *Las obras*

¿Cómo es físicamente la entrega? ¿Qué aspecto tiene? El papel es de mala calidad y, lo que es peor, la calidad del mismo puede cambiar a lo largo de la publicación de la novela. La obra está escrita en caracteres de imprenta demasiado grandes para un lector normal, letras de cuerpo 11 y 12 (una novela «normal» está impresa con letras de cuerpo 9 y 10).

Las páginas suelen constar de 20 a 25 líneas, y cada línea de 10 a 12 palabras, y a veces muchas menos. Como se podrá observar, la novela por entregas no es, a pesar de los dos tomos de que suele constar, una novela extensa; al contrario, nos encontramos ante una obra que ocupa más espacio del que racionalmente le corresponde. Esto obedece a motivos puramente económicos, se trata de rellenar papel, por eso abundan los títulos, los subtítulos, los apartados, divisiones y subdivisiones, que no tienen otro significado que el de ocupar espacios. Se podrían transcribir aquí páginas enteras, en las que las líneas constan de una sola palabra; el entreguista está especializado en construir largos y falsos diálogos, muy cortados y hasta entrecortados, en los que dos personas se intercambian monosílabos, saludos, frases cortas, etc.

Una novela por entregas típica suele tener dos tomos de 400 páginas cada uno; estas 800 páginas publicadas «correctamente» darían como resultado un libro casi normal en cuanto a extensión se refiere, de unas 300 a 400 páginas.

Habría que mencionar aquí a dibujantes e ilustradores que tuvieron mucha importancia, y a veces gran rango artístico, y que colaboraron en el éxito de la entrega. El editor solía regalar una lámina a la hora de la suscripción de la primera entrega; después, cada un cierto número de entregas (y cada entrega es de 16 páginas generalmente), regalaba nuevas láminas.

Las entregas para constituirse en libro habían de ser encuadernadas a cargo, claro está, del sufrido comprador de las mismas, y por esta razón abundan tanto los talleres de encuadernación durante esta época en Madrid y Barcelona, las dos ciudades que produjeron la mayor parte de las novelas por entregas.

Si físicamente la entrega no es ni siquiera un libro, sólo es un cuadernillo, estructuralmente las novelas por entregas están basadas en el más elemental dualismo; los temas están montados sobre *buenos* y *malos* que luchan entre sí hasta la victoria final, y obligada, de los buenos; como veremos más adelante, estos temas, o estos dualismos, pueden tener significación diferente.

Finalmente, algunos datos sobre tiradas y precios. Una novela por entregas con éxito podía durar dos años o más; a 52 entregas por año (una por semana) se llegaba así fácilmente a las 100 entregas, y a real la entrega, el suscriptor pagaba unos 100 reales por la obra. Esta misma obra en libro le hubiera costado 10 ó 15 reales, y además se trataría de un libro, es decir, de una sucesión de cuadernillos ya encuadernados.

Una novela por entregas se tiraba a 10.000 ó 15.000 ejemplares, o lo que es lo mismo, de cada entrega se editaban 10.000 ó 15.000 ejemplares semanales. Imagínese el estudioso los beneficios del editor, y también la «estafa» económica del que, económicamente débil, la clase obrera sobre todo, tenía que adquirir una lectura por entregas al no disponer de 10 ó 15 reales para gastárselos de una vez en un libro.

Dedicaremos un «Análisis» a estudiar el significado de este procedimiento editorial que se llamó la novela por entregas.

10. LOS DUALISMOS NOVELESCOS

Ya hemos visto cómo el movimiento romántico desembocó finalmente, en todo lo que atañe al género novelesco, en lo que hemos llamado prerrealismo: en éste hay que destacar, como también se dijo, el dualismo de toda la estructura que informa y determina la obra. Dualismo del que no escapa ni siquiera «Fernán Caballero».

Hay que recordar también que este dualismo está en paralelo con el dualismo social que vive el medio siglo: toda la vida, social o política, económica y hasta religiosa, se encuentra escindida. España parece buscar una postura unitaria, una solución general y totalizante, que le vendrá, aunque provisionalmente, de la revolución burguesa de 1868.

Si los prerrealistas no pueden evitar el dualismo, los novelistas de menos enjundia, los entreguistas en una palabra, encontraron en el dualismo la verdadera base de toda su producción.

El dualismo, sea del tipo de sea, como procedimiento novelesco produce una novela escindida: se afirman una serie de valores que se encarnan en una serie de personajes positivos, detentadores de estos valores y por ellos inspirados. En paralelo e inevitablemente están el resto de los personajes que encarnan los valores negativos y que también actúan inspirados por ellos. El escritor, en el peor de los casos, esto es, en la novela por entregas, se limita a presentar tipos ya creados y cien veces repetidos (la huérfana inocente, el obrero casto y trabajador, el hombre generoso, el buen cura, etc.) y a oponerlos a otra serie de tipos también repetidos cien veces (el tutor que quiere quedarse con la herencia de la huérfana, el obrero borracho que martiriza a su mujer y a sus hijos, el hombre envidioso que persigue a sus amigos y hermanos, etc.).

En la novela dualista, no en los mejores prerrealistas, abundan no sólo los personajes estereotipadios sino también las frase hechas, verdaderas estereotipias lingüísticas (la pobre joven, el malvado tío, la generosa muchacha, el cruel marqués). Estas frases son inevitables si se recuerda que muchas de las novelas fueron dictadas por los novelistas, y el que dicta ha de redondear la frase o ha de caracterizar un nombre de personaje, para situarlo rápidamente en la acción que trata de narrar.

Las descripciones en este tipo de novelas, siempre en las peores entre las dualistas, tienden a desaparecer y son sustituidas por verdaderas acotaciones ecénicas o teatrales, en el peor sentido de la palabra.

Finalmente, la posición dualista o la problemática dualista de la novela predetermina el final de la misma: todo dualismo se transforma así en una tesis que hay que demostrar, y los buenos triunfan siempre, eso sí, después de múltiples trabajos y sufrimientos.

Veamos ahora rápidamente una posible división de estos dualismos novelescos, recordando que lo que viene a continuación se refiere sobre todo a la novelística popular, de fácil lectura, en una palabra, a la novelística que las más de las veces se publicó por entregas (pero no siempre).

a) *La novela histórica de aventuras*

Heredera de la gran novela histórica del romanticismo, pero que se vuelve puramente dualista —el malo y el bueno— en las pecadoras manos de un grupo de novelistas por entregas que se escalonan a lo largo del siglo y que llegan a publicar más de 2.000 títulos: el ya citado Manuel Fernández y González, a partir de 1860 aproximadamente; Alfonso García Tejero, José Muñoz Maldonado, José Velázquez y Sánchez, Torcuato Tárrago y Mateos, Ramón Ortega y Frías, Julio Nombela y Tabares, Florencio Luis Parreño, Enrique Rodríguez Solís, Vicente Moreno de la Tejera y cien más de menos fama. Los autores citados publican sus obras de 1850 a finales de siglo, o mejor dicho, publican y republican el mismo tipo de novela: de fácil lectura, de mala factura y vendida a real la entrega entre las clases trabajadoras de las grandes ciudades. No es novela politizada y sí dramática, y sobre todo melodramática. El universo novelesco sólo en principio es histórico, pues ni los autores poseen ninguna preparación ni tampoco el interés de la obra reside en las descripciones o en la reconstrucción, sino, y como queda escrito, en la aventura dualista entre un bueno y un malo.

b) *La novela del dualismo sociopolítico*

De más enjundia que la anterior, pero de parecida factura; novela en la que se puede encontrar inmediatamente un grupo liberal y anticlerical, y otro, en paralelo, antiliberal y procatólico.

Entre los autores que propagan las ideas liberales, democráticas, republicanas y hasta socializantes, hay que señalar al primero en el tiempo, Wenceslao Ayguals de Izco (1801-1873), autor de *María, la hija de un jornalero* (1845-1846), *La Marquesa de Bella-Flor* (1846-1847), *El palacio de los crímenes* (1855) y otros títulos que tuvieron gran popularidad. Ayguals fue también diputado, director de periódicos, editor y fundador, finalmente, de una tendencia novelesca dentro del dualismo prerrealista: la que hemos llamado novela del dualismo sociopolítico.

Ceferino Tresserra (1830-1880), republicano federal, publicó novelas antimonárquicas y anticlericales como *La judía errante* (1862), *El poder negro* (1863), y la que alcanzó más fama, *Los misterios del Saladero* (1860).

Siguieron esta línea, entre otros, Juan de la Puerta Vizcaíno, «Alfonso Torres de Castilla» (seudónimo de Fernando Garrido) y otros, hasta llegar a Blasco Ibáñez, que recogió la tendencia en sus novelas por entregas, *La araña negra* (1892), y otras.

En paralelo con los entreguistas liberales y anticlericales, se pueden citar a sus hermanitos de leche, aunque de signo opuesto, pero lo mismito de dualistas. José Mariano Riera y Comas (1827-1865?) publicó una *Historia de las sectas secretas o el francmasón proscripto* (1847-1850), en 10 volúmenes, en la que defiende a los jesuitas y culpa a las sociedades secretas de todos los males del país. La misma posición sostienen en sus obras autores como Antonio Bofarull y de Brocá, Fernando Patxot, el académico Gabino Tejado y muchos más.

La novela del dualismo sociopolítico es siempre prerrealista porque organiza una materialización destotalizadora del mundo: es también, en este sentido, una auténtica novela de tesis. Su influencia será grande entre los escritores realistas, que habrán de luchar contra el dualismo pero que muchas veces no podrán escapar del mismo.

c) *La novela del dualismo moral*

Entreguistas o no, académicos o desconocidos, los novelistas que cultivan este tipo de novela son muy parecidos: tratan de contar una historia, casi siempre melodramática, en la que se enfrentan dos series de personajes bien definidos y siempre los mismos: los inocentes (huerfanitas, vírgenes, jóvenes) y los malos (tutores, padres, viejos, ricos). La moral tradicional católica inspira todas estas obras, en las que se defiende el matrimonio, la castidad, el trabajo y todas las virtudes habidas y por haber. Es, pues, y también, una novela de tesis.

Fueron los mejores representantes de esta, digamos, escuela, José Selga y Carrasco (1822-1882), autor, por ejemplo, de *La manzana de oro* (1872), en seis tomos, y de otras novelas, correcta y desmayadamente escritas. Le ganó en fama el valenciano Enrique Pérez Escrich (1829-1897), que a partir de 1863, con *El cura de aldea,* fijó las normas de este tipo de escribir o de paraescribir.

Otros autores: Antonio Altadill y Teixidó, Rafael del Castillo, Manuel Martínez Barrionuevo, gran parte o casi todos de los autores de novelas históricas de aventuras, empezando por el mismísimo Fernández y González, y ya a finales de siglo, Luis de Val.

Capítulo aparte merecen las escritoras, que cultivaron un dualismo sentimental caracterizado; entre ellas, mal estudiadas aún, ha de encontrarse más de un autor de mérito. En principio, sus obras responden al dualismo moral que señalamos, pero dualismo visto con ojos femeninos que a veces puede incluso cambiarlo de signo (en espera de mejor información, citemos solamente algunos nombres: Esperanza de Belmar, Patrocinio Biedma, Joaquina García Balmaseda, Aurora Lista de Milbart, María Mendoza de Vives, Faustina Sáez de Melgar, María del Pilar Sinués y muchas más —pasan del medio centenar—).

La brevedad me obliga a silenciar dos posibles corrientes surgidas del prerrealismo inaugurado por «Fernán Caballero»: una, la que caracterizaría la unión o el contacto entre el prerrealismo y el costumbrismo (la novela de costumbres), y en la que destacaría el nombre ya citado de Antonio Flores. Y otra corriente, más romántica pero también dualista, que se resuelve en una novela sentimental, sentimentalísima y hasta lacrimógena, con nombres como Manuel Ibo y Alfaro, Emilio Castelar y hasta Nicomedes Pastor Díaz, con su novela *De Villahermosa a la China* (1851). Fueron muy populares las novelas dulzonas y sentimentales del citado Emilio Castelar (1832-1899), *La Hermana de la Caridad* (1875), y otras.

ANÁLISIS

Los tres análisis que siguen intentan complementar la Historia que acaba de ser expuesta.

El primero, *El significado de la novela por entregas,* desmonta un proceso editorial, pero también ideológico, que hoy día podía muy bien ilustrarse a partir de ciertos seriales televisivos: aunque parezca paradójico, la entrega, el serial, la fotonovela, poseen una misma estructura dualista, un mismo esquematismo y sus efectos son muy parecidos: empobrecimiento de nuestro conocimiento de la realidad. Quizás este esquematismo de la realidad e incluso este empobrecimiento vengan de muy antiguo, pero es lo cierto que solamente a partir de las concentraciones industriales del siglo XIX tomó carta de naturaleza. Por eso es hasta urgente distinguir muy bien entre lo que pudiéramos considerar auténticamente popular y lo que se populariza siendo inauténtico (problema que aquí sólo puede ser apuntado).

El segundo análisis, *La novela histórica nacional o el episodio,* está destinado a describir una tendencia novelesca original española que no ha tenido cabida en la exposición histórica de la novela de la primera mitad del XIX. También es urgente un estudio de esta tendencia que ha llegado hasta nuestros días, y que se ha materializado a través de auténticas obras de literatura (Pío Baroja con sus *Memorias de un hombre de acción,* Valle Inclán con su *Ruedo Ibérico,* etc.). Como se verá, la novela histórica nacional viene casi desde primeros de siglo y gracias sobre todo al genio de Pérez Galdós (cuya obra no puede ser aquí recogida) alcanza inusitada importancia en nuestra Literatura.

El tercer análisis, *Libros, precios y libreros,* viene al final de todo el trabajo pero también podría venir al principio del mismo, y servir así de introducción. Se trata de afirmar una vez más que los primeros cuarenta años del siglo XIX fueron en realidad mucho más importantes para nuestra novela que lo que la crítica ha sostenido hasta ahora. Quizás nuestra novela clásica, la de los Siglos de Oro, muera o se adormezca en el XVIII, quizás este mismo siglo XVIII no tenga muchos títulos novelescos que ofrecer al estudioso, pero es lo cierto que a finales del mismo, y sobre todo a partir de los primeros años del XIX, la novela española reanuda su camino.

La gran generación de novelistas de 1868 sería inexplicable sin los cincuenta años que la preceden; la buena novela, sobre todo si es buena, no puede surgir de la nada: tenía que haber algo antes, y este *algo* no sólo viene constituido por títulos novelescos, sino también por una industria editorial, un área de lectura, de difusión, de comercialización, etc.

Con este tercer análisis, que, repetimos, podría ir al principio de este volumen, se intenta subrayar también la personalidad propia del período novelesco estudiado.

1. SIGNIFICADO DE LA NOVELA POR ENTREGAS

La novela por entregas, o en folletín, pertenece por derecho propio a la siempre mal definida novela popular.

La novela popular es, ante todo, un género «derivado», sin ninguna autenticidad. Su originalidad reside en su capacidad de imitación, en su inaudita sobrevivencia. Si llamamos «popular» a esas formas inauténticas de la literatura, no hay duda de que lo popular ha existido, poco más o menos, desde que apareció la primera obra literaria auténtica.

Naturalmente, no son populares en este sentido las creaciones colectivas de una sociedad cerrada o antigua, en la cual el individualismo no ha despertado todavía; sería estúpido negar el carácter popular de muchos monumentos literario de la antigüedad: poemas de creación colectiva.

Lo «popular», en el sentido inauténtico de la novela popular, nace al socaire de otra literatura, de otra novela, ya creada, ya formada por individuos o grupos; es pues, y en cierto modo, un reflejo o una adecuación de lo ya existente. Novelas populares fueron los «Libros de Caballerías», a los que la distancia histórica transforma injustamente en obras de auténtica literatura; un *Amadís* pudo ser una obra auténtica, pero no lo fueron las docenas de novelas que a partir del *Amadís* surgieron en el mundo. De la misma manera y quizás, algunas novelas históricas de Fernández y González no son novelas populares, pero sí lo son las novelas de este mismo autor, a partir de un cierto momento.

Encontrar la diferencia entre una novela auténtica y otra que no lo es parece a primera vista muy sencillo; sin embargo, los límites entre estas dos formas son en realidad siempre borrosos y cambiantes.

La inautenticidad no puede referirse sólo a las imitaciones literarias de cierta altura, digamos, estética. Una novela de Ortega y Frías será siempre una novela popular e inauténtica, pero no todos los críticos estarán acordes en conceder este mismo y triste privilegio a una novela como *Cristianos y Moriscos,* de Estebánez Calderón, y, sin embargo, esta última obra es tan inauténtica como cualquier novelón por entregas, lo que ocurre es que Estebánez Calderón se halla en posesión de un léxico, de un estilo, de una forma de hacer, que no podemos llamar popular.

La autenticidad o la inautenticidad no pueden referirse, pues, únicamente a la imitación o la originalidad de la obra, sino al contenido de la misma. En este punto tendremos que salirnos del *tema* para enfrentarnos con el difícil problema de la *problemática.*

Una novela popular es ante todo un reflejo de la conciencia colectiva; y reflejo en el peor sentido de la palabra: un reflejo, como veremos después, esquematizado, mitificado, falso en suma; por el contrario, una novela «no popular» se escapa al reflejo, escapa incluso y hasta cierto punto a la conciencia colectiva, porque en su materialización hay algo más que una conciencia colectiva, más o menos estructurada.

Todos sabemos ya que en nuestros días, la tan traída y llevada «teoría del reflejo» ha sido abandonada por la crítica, sin embargo esta teoría sigue siendo válida en un caso, en uno solo: precisamente en el campo de lo «popular», de lo inauténtico.

Si llamamos reflejo a la materialización al nivel literario de una conciencia colectiva, tendremos que tener en cuenta que esta materialización se efectúa por medio de una sistemática esquematización, por medio también de un cómodo empobrecimiento de valores y de temas. Hay en la materialización «reflejada» una repulsa firme de toda clase de explicación; se toman, con preferencia, los hechos desnudos, desraizados y desrelacionados del universo que los vio nacer; una materialización «popular» se limita en este sentido a ser una especie de caja de resonancia.

La inautenticidad de este tipo de materializaciones se debe sobre todo a la desrelación de las relaciones materializadas. O de otro modo, la obra inauténtica «selecciona» gratuitamente una serie de relaciones que efectivamente y realmente, tienen lugar en el universo real, pero que arrancadas, y aisladas de este mismo universo real que las ve nacer, pierden toda su sustancia, toda su efectiva realidad, al ser trasladadas o reflejadas en la materialización inauténtica.

Este arrancar y aislar relaciones del mundo real, para su utilización literaria, trae aparejadas dos consecuencias importantes: el obligado empobrecimiento de las relaciones aisladas, y el no menos obligado esquematismo de las mismas.

Una relación se empobrece al perder contacto con el resto de las relaciones que quizás determinaron su existencia. Todos sabemos que un acontecimiento histórico, sea el que fuere, tomado por sí mismo, pierde toda significación; se convierte en un «suceso», en una «noticia», pero suceso y noticia que no pueden explicarnos absolutamente nada, ni siquiera su razón de ser, su existencia, su origen y sus consecuencias.

La esquematización, en esta manipulación, viene por sí sola; en el caso de la novela por entregas, por ejemplo, todo personaje novelesco es una pura caricatura porque su psicología se halla esquematizada, es bueno o malo, pero no puede ni siquiera dudar entre dos opciones; de hacerlo, la esquematización operada se enriquecería, adquiriría nuevas relaciones y la esquematización desaparecería en el acto. De aquí la constante repetición de temas y personajes en la novela por entregas; de aquí la pobreza de estas novelas. Los esquemas de este tipo facilitan, como es natural, la confección de las novelas: todo se reduce a una utilización de los mismos; el autor es así también un reproductor y nunca un creador, ya que no puede ni siquiera aspirar a la variación, a la originalidad en suma.

La novela por entregas se parece mucho a una mercancía: es fabricada en serie, todos los objetos fabricados se parecen y el editor-empresario es más determinante y significativo que el autor-obrero o productor. Como mercancía, la novela por entregas obedece a unas leyes del mercado bien caracterizadas (extensión o duración).

Sin embargo, la novela por entregas no es solamente una mercancía, es decir, no bastan los rudimentos de la Economía para describirla y explicarla; como queda anotado más arriba; nos encontramos ante todo frente a un reflejo de la conciencia colectiva, pero reflejo que va a ser manipulado, falseado también.

Pongamos un ejemplo: en la década 40-50 se multiplican las obras sobre Espartero, biografías anoveladas, exaltaciones más o menos históricas, etc.; por una parte sabemos que existe en Madrid una masa de artesanos y trabajadores, además de pequeños comerciantes e intelectuales, que se identifica o tiende a identificarse con la política representada por el Duque de la Victoria; al mismo tiempo algunos editores, Hortelano por ejemplo y durante un cierto tiempo Ayguals de Izco, detentan las mismas ideas que los presuntos lectores. Si tomamos ahora una cualquiera de las obras o mejor «novelas» sobre Espartero, observaremos en seguida que la política del partido progresista (desamortización, lucha contra la Iglesia, política municipal, centralismo administrativo, etc.) no entra para nada en la redacción de las obras; solamente se recoge en ellas la figura del general.

Nos hallamos, pues, ante una muestra palpable de esquematización, en este caso de mitificación (el mito es el esquema hecho símbolo); ningún lector de una biografía de Espartero de esta época ha podido extender sus conocimientos políticos, porque la relación materializada en el libro (el general Espartero en este caso preciso) aparece completamente aislada del contexto social. Estas obras no explican, exaltan; no razonan, repiten.

Lo mismo ocurre con las novelas de un Ayguals de Izco; este autor es partidario más o menos consciente de la concordia social, de una democracia avanzada en la que debía existir justicia a todos los niveles; indudablemente Ayguals interrumpe el relato de su *María,* por ejemplo, para lanzar un discurso casi, casi electoral, pero las ideas de este discurso no se encuentran enlazadas con el relato en suspenso, por el contrario rompen la línea del mismo; y de nuevo la novela queda empobrecida, porque sus personajes no se mueven por razones ideológicas, las del autor, sino en virtud de un esquema novelesco que hemos llamado dualismo.

Pérez Escrich decide ser el campeón de la moral familiar católica; a partir de aquí construye una serie de novelas en las que esta moral sólo aparece como discurso, no como problemática que mueve a sus personajes; éstos, como en Ayguals, responden al esquema novelesco del dualismo.

Los autores, ciertos autores, buscan sin duda extender sus ideas, pero como ya apuntamos, la forma novelesca contiene ciertas leyes internas que la son propias, que la defienden también al mismo tiempo que la definen.

Como también apuntamos, los editores-empresarios buscan la coincidencia, buscan la tautología hecha novela; desean vender el mayor número posible de obras a partir de una exploración muy superficial del mundo de los lectores. No se trata, como se podrá comprender, de intentar una educación del pueblo, aunque no faltaron algunos laudables, y casi siempre, ruinosos intentos, sino de repetir al nivel de las obras las ideas, la conciencia, de los lectores. Esta repetición, este reflejo, es ante todo inauténtico y superficial.

Halagar los gustos del público, los más superficiales porque a la vista están de cualquier mediano observador, implica la muerte de toda autenticidad; este público se empobrece a medida que lee lo que ya sabe, que se encuentra donde ya estaba. Pero lo peor en este tipo de reencuentros y de identificaciones, consiste en que la imagen ofrecida del lector al lector es una imagen falsa (empobrecida y esquematizada).

Ni el obrero es el buen obrero de tantas novelas, desde Ayguals a De Val, ni el patrón es el mal patrón; ni el sacerdote es bueno ni el sacerdote es malo..., etc. No se trata aquí de encontrar la lucha de clases al nivel de la novela, sino una imagen muy deformada de la misma. En las novelas por entregas se opera por medio de símbolos, que vienen determinados por el esquema novelesco de las mismas, pero estos símbolos no pueden explicar la más mínima parcela de la realidad. Muy al contrario, suelen desviar la conciencia del lector porque le simplifican la visión.

Los símbolos de esta época no alcanzan, como en la nuestra, la categoría de mitos (que serían símbolos más enriquecidos o símbolos y esquemas eminentemente funcionales). Un «Tarzán», un «James Bond», por ejemplo, son mitos construidos alrededor de la frustración existente en nuestro universo ciudadano: «Tarzán» nos venga de las limitaciones de la ciudad, «James Bond» nos consuela de nuestra falta de acción; pero en el siglo pasado, esta mitificación no era posible todavía; la literatura popular estaba solamente empezando y ni siquiera estaban claros los procedimientos que permiten hoy día, o en los primeros años de nuestro siglo, la construcción de mitos «evadidores» (que permiten la evasión, el escapismo ante la realidad hostil).

Las masas trabajadoras, los obreros de la ciudad del XIX, se encontraban en pleno movimiento ascendente, todavía no habían fracasado en sus intentos revolucionarios, y su ideología se encontraba teñida de resabios burgueses; se luchaba por la asociación, por la justicia social y por el derecho a la huelga, y no, ni mucho menos, por la dictadura del proletariado. Los socialistas españoles del XIX con

Garrido a la cabeza, eran los socialistas utópicos de todos los manuales.

Claro que habría que hacer una distinción muy clara a partir de 1868, o mejor a partir de la Comuna francesa de 1871 y de las Comunas, que se llamaron Cantones, españolas de 1873. Precisamente a partir de estos años, la producción por entregas disminuyó o decayó en importancia; sin duda hay que ver aquí que las ideologías ofrecidas a través de las novelas «sociales» por entregas, habían sido claramente rebasadas por la acción social de los lectores.

Pero entre 1840 y 1870, aproximadamente, los editores y los autores no podían preocuparse de la revolución social, y a través de sus novelas del dualismo social ofrecían una especie de pactismo generalizado en el que entraban por igual los valores de la burguesía y los valores de la clase obrera. Quizás, pero habría que hacer una serie de análisis concretos muy numerosos, los valores ofrecidos a través de estas novelas sean, en su mayoría, valores burgueses caracterizados (ahorro, trabajo, seguridad, estabilidad familiar, autoridad paternal, etc.).

Si en lugar de referirnos a las novelas de tipo «social», nos referimos a las de tipo «católico» o antiliberal, podemos hacer las mismas observaciones: se predica un pactismo generalizado, el obrero debe de ser bueno, huir del alcohol y de la pereza, respetar las instituciones y rechazar todo género de violencia. Pero también aquí la imagen, en este caso pequeñoburguesa del mundo, se da deformada y empobrecida porque los problemas reales de la sociedad no son de ninguna manera alcanzados; los conflictos de esta misma sociedad son «explicados» a partir de secretas conjuraciones porque, no hay que olvidarlo, existen *los malos* que quieren acabar con la paz del mundo, aunque, menos mal, también existen *los buenos* que están dispuestos a sacrificarse por la salvación de un mundo idealizado.

Ni hacia la derecha ni hacia la izquierda, por emplear estos términos generales, existe una verdadera conciencia de clase al nivel de las novelas por entregas. Claro está que existen excepciones: un Tresserra se escapa un poco del puro reflejo para convertirse en un panfletario temible; lo mismo ocurre con Puerta Vizcaíno cuando novela la Comuna de París. Blasco Ibáñez es más complejo todavía, ya que es capaz de escribir una novela como *Los Fanáticos,* que aparentemente está dirigida a los obreros, cuando en realidad está dirigida a fortificar a sus enemigos de clase. Un reflejo así deformado por su esquematismo, como el que aparece en las novelas por entregas, no puede influir, en principio, en la ideología de los lectores; lo más que puede conseguir este tipo de publicaciones, es la «fijación» del enemigo a partir de una simplista representación del mismo. En este sentido, es seguro que el anticlericalismo de una buena parte de las novelas por entregas, por ejemplo, tuvo que contribuir a reforzar el odio de clase hacia la Iglesia.

De la misma manera, la sistemática deformación de ciertos personajes históricos, hubo de influir en el antimonarquismo de los lectores; pero no es menos cierto que la monarquía de Isabel II, se hizo impopular por sí misma.

No creo que las novelas por entregas anticlericales o antiliberales contribuyeran a propagar ninguna idea anticlerical o antiliberal; se limitaron, como queda escrito, a repetir lo ya sabido y creído por sus lectores, y a simplificar la cuestión.

No ocurre lo mismo con las novelas que hemos llamado del dualismo moral, y la prueba consiste en que este género de novelas se sigue produciendo a lo largo de todo el siglo, mientras que la producción de novelas históricas de aventuras y de novelas del dualismo sociopolítico, decae visiblemente.

Las novelas del dualismo moral, de Pérez Escrich a Luis de Val, propagan una sola y única ideología que, por llamarla de alguna manera designaremos con el nombre de ideología pequeñoburguesa; se trata de la defensa de los tradicionales valores familiares acuñados por el catolicismo. Pero no, claro está, de un catolicismo oficial o tradicionalmente severo y fanático; las novelas no defienden directamente el matrimonio, por ejemplo, pero no lo atacan jamás; suelen tratar del adulterio y del hijo natural, pero estos problemas son expuestos como «malentendidos» sociales, a los que el novelista encuentra imparablemente una solución.

Las novelas del dualismo moral defienden, por ejemplo, el matrimonio entre individuos de diferente clase y posición social (el siempre tradicional y al parecer imperecedero, romance de la niña pobre que se casa con el hombre rico), pero una vez más, el problema del matrimonio no aparece por ningún lado. Hay que observar que este problema sólo fue tratado por la Pardo Bazán, desde el punto de vista de la mujer, y que tampoco la estupenda escritora gallega pudo llegar a una solución (no ocurrirá lo mismo con las obras de Jacinto Octavio Picón, por ejemplo, pero nos encontramos, en este caso, en pleno siglo XX).

Las novelas del dualismo moral son las falsas novelas feministas que hoy día llamamos fotonovelas: si la jovencita es trabajadora, modesta, casta, no importa que sea pobre, tarde o temprano un hombre rico se enamorará de ella y la desposará. No hay que hacer ningún esfuerzo de imaginación para comprender con qué avidez frustrada hubieron de leerse este tipo de novelas por un lectorado femenino al que no le había sonreído la suerte (lo mismo ocurre con la fotonovela, aunque en este caso la obrera es una empleada de oficina, y el conde un director general).

No hay por qué añadir que ningún problema sexual se encuentra planteado en las novelas por entregas; en el caso del hijo natural, el «malentendido» al que nos referimos antes, acaba por resolverse en favor de la madre abandonada y del hijo sin nombre; pero para nada se trata de la libertad sexual o del derecho al amor.

Los escritores de este tipo de novelas del dualismo moral, son los verdaderos defensores en el seno de las clases trabajadoras, de la moral social y en el poder; eran los encargados, así, de reforzar una dictadura moral que a lo mejor no era la más adecuada para sus lectores.

Ni las novelas históricas de aventuras, ni las novelas que pertenecen al dualismo, ni las novelas de crímenes, siempre dentro del campo de la entrega, se encuentran estructuradas sobre una problemática realista; por el contrario, su estructura estructurante no es más que una falsa conciencia, sin duda colectiva, pero que podemos definir como «idealista», en el peor sentido de la palabra.

Ya quedan apuntadas, en el capítulo 9, las mediaciones explicativas que determinan la novela por entregas, entre ellas, entre estas mediaciones, han de encontrarse los elementos que permitan definir con cierta exactitud las problemáticas que inspiran todo el novelar por entregas.

Sociológicamente, ante un novelar, se suele encontrar la problemática, la estructura estructurante de la obra, en una conciencia individualizada a través de una obra, única, individualizada también: son los modos de pensar, los modos de relacionar y las visiones del mundo, lo que, en definitiva, nos dan la explicación de una novela.

¿Pero qué decir ante una producción industrial o industrializada, como la novela por entregas? Aquí no existe, como hemos podido comprobar, la individualización ni la obra única o individualizada, aquí sólo existe una falsa conciencia o conciencia idealizada que se vende por entregas.

En el campo de la novela por entregas no existe la comunicación, sino el contacto; no existe ni siquiera la información, sino la construcción de una tautología, la búsqueda más o menos lograda de un reflejo; los editores, verdaderos autores de la novela por entregas, buscan y encuentran la repetición y construyen espejos, tan desvaídos o tan pobres que a la postre se convierten en espejos deformantes.

En último caso, podemos considerar que la novela por entregas no corresponde exactamente al lectorado, sino que se inspira o se estructura sobre una visión del mundo pequeñoburguesa, reaccionaria, moralizante, pactista, etc.

Novela destinada a la clase trabajadora no recoge los valores de esta clase (siempre con excepciones), sino los valores de la pequeña burguesía no revolucionaria.

La conclusión obligada y también desoladora, puede resumirse así: la novela por entregas no solamente fue una estafa *económica,* sino también una estafa *moral;* el lector no solamente pagó cinco o diez veces el precio real de la novela, sino que también hubo de leer lo que le empobrecía e inmovilizaba. ¿Y no se encontrará esa estructura estructurante o problemática, precisamente en este empobrecer, en este inmovilizar?

(Para una mejor comprensión del problema propuesto, véanse en la televisión actual algunos de sus «seriales», que son las novelas por entregas de nuestro tiempo.)

2. LA NOVELA HISTÓRICA NACIONAL O EL EPISODIO

Asistimos durante los primeros 68 años del siglo XIX al cultivo de un tipo o subtipo de novela histórica que, dadas sus características propias, ha de ser estudiada en su especificidad. De una manera o de otra, nos encontramos no solamente con una tendencia novelesca, sino con una novela nueva, original, de clara raigambre hispánica y que se sigue cultivando en nuestros días.

Tenemos pues que considerar dos aspectos: por un lado, tratar de definir o de describir con la mayor precisión posible la nueva novela, y por otro, demostrar que, efectivamente, este tipo ya descrito o definido se cultivó en España.

a) *Un nuevo tipo de novela histórica*

De una manera general, sabemos que una novela histórica posee un universo histórico, más o menos alejado en el tiempo, y un protagonista o una serie de personajes también históricos que se insertan con toda la lógica narrativa en el universo histórico escogido por el autor de la novela.

Se pueden distinguir en la producción de novelas históricas españolas tres tendencias o subtendencias: en primer lugar, aparece la *novela histórica de origen romántico,* por medio de la cual el alma romántica expresa su repulsa del mundo (del suyo, del actual del autor) y la búsqueda quizás de un refugio en un universo histórico, pasado, ideal sin duda. Esta novela histórica es la novela tipo, la cultivada en todas las naciones por los novelistas románticos (Walter

Scott, Chateaubriand, Gil y Carrasco, Larra, etc.). Claro está que en esta novela tipo podíamos distinguir dos ideologías diferentes que informaban la obra: una liberal y otra moderada, pero en lo esencial, es decir, en cuanto a la estructura de la novela se refiere, nos encontramos ante una única y sola manera de hacer: situado y descrito un universo histórico, el héroe o el protagonista intentaba vivir su vida, buscar su destino y generalmente fracasaba en su intento.

En esta novela tipo, ideal, romántica por excelencia, no había exactamente ruptura entre el universo novelesco y su protagonista; la ruptura, romántica, existía entre el autor y su mundo.

Con el tiempo, la novela histórica de origen romántico se convierte en *novela histórica de aventuras:* aquí, lo que interesa es la peripecia, la aventura, y se procura que esta peripecia ocurra en un universo histórico, pero es claro que el universo novelesco pierde fuerza, no media, o media con poca fuerza, al protagonista aventurero. Un autor modélico de este tipo de novela histórica de aventuras, es el ya mencionado Fernández y González en una buena parte de su producción.

Pero la novela histórica se sigue produciendo cada vez con menos autenticidad, y surge así lo que hemos denominado *novela de aventuras históricas,* queriendo significar que aquí la aventura es todo, y que lo histórico es solamente un adjetivo las más de las veces gratuito. Aquí entran la mayor parte de los novelistas por entregas.

Tal es, muy resumido, el itinerario que en España recorrió la novela histórica; sin embargo, junto a esta producción ya censada y posible de clasificar según el triple criterio avanzado, existe otra novela también histórica que no cabe, que no corresponde exactamente a la clasificación propuesta: me refiero a la que vamos a denominar *novela histórica nacional,* y que se llamó *episodio nacional* a partir, sobre todo, de Pérez Galdós y del año 1873, fecha de la aparición del primer título de sus famosos *Episodios Nacionales.* Aunque el primer título, *Trafalgar,* no llevara precisamente el subtítulo de *Episodio nacional.*

Pérez Galdós no inventa una tendencia, puesto que, como veremos en b), ésta había ya aparecido hacía por lo menos medio siglo, pero la recoge, perfecciona y lleva quizás a su punto más alto.

¿Qué es una novela histórica nacional? Ante todo es, como su nombre indica, una novela con un universo y con un protagonista. Es, después, histórica, con lo que se quiere indicar que el universo y el protagonista son históricos, esto es, pertenecen a un pasado ya repertoriado. Queda pues, solamente por explicar el adjetivo nacional, que es precisamente el que va a caracterizar a este tipo de novela.

Que una novela histórica posea un universo histórico es la condicion *sine qua non* para que sea novela y para que sea histórica; el problema consiste en poder describir este universo, en poderlo clasificar. No es lo mismo una novela histórica que nos narra el mundo egipcio, que la que nos narra el mundo medieval. Nos planteamos ya el problema de la mayor o menor lejanía en el tiempo del universo novelesco, problema planteado y casi resuelto por un crítico como Hinterhäuser (1963) y problema descrito y casi clasificado por Gorgoza Fletcher (1974). Para el primer crítico, la lejanía en el tiempo, más o menos, era esencial a la hora de distinguir una novela histórica de una novela arqueológica por ejemplo. Para Gorgoza Fletcher, enfrentada con el tipo de novela que nos interesa, un episodio nacional es el que reconstruye un universo histórico que sólo puede alejarse en el tiempo, siempre con referencia al autor que la escribe, hasta la generación de sus abuelos. Sería así un universo recordado casi oralmente por el autor; éste podría recoger de los labios de su abuelo o abuelos un mundo que, aunque no presenció personalmente, se encuentra aún presente en su mundo cotidiano.

Sin embargo, creo que hay que precisar un poco más el adjetivo *nacional* aplicado a la novela histórica; y así entendemos que no basta esta cercanía en el tiempo, sino que también es necesario un juicio totalizante sobre el universo que se reconstruye. Este juicio totalizante del autor novelista significa que es capaz de enfrentarse con su patria, con su país, abarcarlo, tener una opinión que lo engloba y significa. El ejemplo más fácil para comprobar esta afirmación reside, como siempre, en Pérez Galdós: el novelista canario no se contenta con describir o reconstruir, sino que reconstruye o describe a partir de premisas muy generales, de ideas muy generales sobre su patria y los problemas de su patria. No se trata de una opinión política, aunque ésta no puede faltar, sino de una voluntad totalizante, de un deseo de abarcar una totalidad que se llama nación, país, patria, etc.

De esta manera, la novela histórica nacional se aleja y se diferencia bastante bien de la novela histórica que todos conocemos: Larra o Espronceda, por escoger dos nombres conocidos, pueden reconstruir más o menos bien un universo medieval y situar en él personajes que de alguna manera son portadores de las ideas de los autores; pero en sus obras no existe una visión actualizada del mundo en que viven, y aquí mundo significa, o quiere significar, nación, país, patria.

Tampoco será exactamente una novela histórica nacional la que recoge algún suceso histórico más o menos actual. Existen muchas novelas por entregas que se dedican a explotar alguna hazaña española en la guerra de la Independencia. Sin embargo, este suceso histórico que sin duda está próximo al autor, no le da a éste ninguna visión general sobre la patria o la nación; estamos, así, ante un *episodio histórico,* pero no ante un *episodio nacional.*

Por otra parte, en toda novela histórica, como sabemos, han de existir dos niveles temáticos, dos argumentos que se entremezclan y hasta combinan, más o menos armoniosamente, según el arte del autor: existe un tema rigurosamente histórico, bien anclado en el universo histórico reconstruido; y existe también un tema de libre invención, puramente novelesco, inventado por el autor (si no hubiera invención alguna, estaríamos ante la Historia anovelada, tipo de obra que también existe). Generalmente, como ya señaló Lukács (1965), el autor de novelas históricas suele recoger de la Historia un personaje de segunda fila como protagonista; esto es así porque de recoger un personaje histórico bien conocido y estudiado, la novela resultante se transformaría en una reproducción histórica; faltaría el elemento inventivo que la transforma en novela.

En la novela histórica nacional tampoco falta este doble nivel argumental (basta releer algunos episodios galdosianos para darse cuenta de que el autor se preocupa constantemente por construir dos planos, uno histórico y otro novelesco).

Si resumimos en este ya muy resumido análisis, podemos llegar a la caracterización de la novela histórica nacional o episodio nacional, a partir de las siguientes notas:

Se trata de una novela histórica.

Posee dos niveles o dos campos bien discernibles, aunque no siempre bien delimitados: un nivel histórico en el que se recogen datos, acontecimientos, personajes, etc., del mundo objetivo histórico, de la Historia; y un nivel novelesco, creado libremente por el autor.

El nivel, o el tema, histórico se encuentra en la memoria viva del autor, puesto que le proporciona una visión del mundo o sobre el mundo en el que vive y está viviendo su novela.

Este nivel o tema, o universo histórico, es tratado de una manera totalizante o global, sin que esto quiera decir que se aporten soluciones de ningún género.

Si nos fijamos bien, los mismos términos de *novela,* de *histórica* y de *nacional,* nos dan las notas distintivas de este género o tipo novelesco. Es *novela* puesto que posee un nivel novelesco y está construida con todas las leyes del género; es *histórica* porque recoge la Historia objetiva, y es *nacional* porque posee una visión nacional, total.

b) *Autores y obras que crearon una tendencia*

El cultivo de lo que ya podemos llamar *novela histórica nacional* o, más brevemente, *episodio nacional,* comenzó muy pronto en el siglo XIX, ya que podemos señalar la fecha de 1813 como el año que, en principio, inaugura la tendencia que nos ocupa.

Digamos, antes de hablar de este año de 1813, que tenemos catalogados unos sesenta títulos anteriores a los *Episodios* galdosianos, pero que sólo vamos a reseñar los que juzgamos más importantes. Dejamos así aparte muchas novelas populares, por entregas o en volumen, que trataron el tema nacional desde un punto de vista también nacional, o totalizante.

En 1813 apareció en Valencia el libro titulado *El héroe y las heroínas de Montelluno. Memorial patriótico.* Trata de un suceso de la guerra de la Independencia, pero a notar, si la fecha es exacta, que esta guerra no había acabado todavía. Aunque anónimo, el autor del libro se descubre en el prólogo como un tal Pablo Rincón, que dice defender la memoria de un puñado de patriotas olvidados por la Junta Central. En Montellano, población cercana a Ronda de Málaga, una familia entera se defiende de los franceses aunque han sido abandonados por sus vecinos y, lo que es más notable, alcanza la victoria. La obra no tiene pretensiones novelescas pero es una auténtica novela, incluso por su estructura (varios viajeros camino de Ronda cuentan sus historias). El estilo es correcto menos a la hora de describir una batalla, momento en el que el autor se deja arrastrar por su admiración hacia las obras, famosas entonces, del Vizconde de Arlincourt.

Este libro tiene el mérito de la novedad: no se trata de un panfleto político, no hay ninguna exaltación y sí una reconstrucción histórica de un suceso que ha de estar en la memoria de todos.

Junto con este ignorado Pablo Rincón, y también como fundador de una tendencia novelesca, hay que señalar aquí a Francisco Brotóns, autor de dos novelas seguras y una probable. Son las seguras: *Las Ruinas de Santa Engracia o el Sitio de Zaragoza,* de 1831 ó 1832, y diez años antes, *Rafael de Riego o la España libre* (Cádiz, 1822), sobre la que volveremos después. La probable se titula *Teodora, heroína de Aragón,* fechada en Valencia en 1832. Tanto el *Sitio* como la *Teodora* son dos auténticos episodios nacionales, en los que se nos narra las heroicidades aragonesas ante el invasor, pero el *Rafael de Riego o la España libre* no sólo es un episodio, sino un verdadero episodio nacional, una auténtica novela histórica nacional. Cuenta esta novela la sublevación liberal del coronel Riego en 1820, que, como se recordará, acabó con el régimen absolutista de Fernando VII e inauguró el llamado trienio liberal (1820-1823). El autor parece un historiador castrense cuando narra las correrías de su héroe por la baja Andalucía; en un momento dado, Riego sube al monte de la patria y se le aparece la sombra de Padilla, uno de los Comuneros; la sombra le da al héroe una espada y un libro; la espada significa la fuerza militar, como es lógico, y el libro es nada menos que la Constitución. Pasemos por alto la incongruencia histórica de armar a Padilla con una Constitución, y convengamos en que el autor no sólo centra su novela sobre el héroe restaurador de las libertades conquistadas en la Cádiz de las Cortes de 1812, sino que nos da una visión global sobre lo que ha de ser la conformación o el modelo de la nación entera.

Tanto Rincón como Brotóns creo que se escapan a la simple narración de un suceso heroico, para elevarse hasta una visión del mundo nacional.

Con Casilda Cañas de Cervantes (mucho más Cañas que Cervantes, como apunté en una ocasión) no puede decirse lo mismo. Su novela de 1833 se titula *La española misteriosa o el ilustre aventurero, o sean (sic) Orval y Nonui,* y lo de Orval y Nonui no es casualidad, pues se trata, según la autora, de los anagramas de Valor y Unión, dos cualidades que siempre, según la novelista, son necesarias para hacer triunfar los ideales españoles. Cañas de Cervantes inventa una historia un tanto inverosímil que ocurre durante la invasión francesa: la heroína misteriosa, ferviente partidaria del rey Fernando, acomete una serie de aventuras de las que sale triunfante. A notar que estamos ya en 1833, que la guerra de la Independencia sigue siendo un tema, y que la autora es decididamente absolutista.

Para el año de 1835 podemos señalar dos títulos de interés: la novela muy politizada del también hombre político Abdón Terradas, titulada *La explanada: Escenas trágicas de 1828,* y que abandona el tema de la guerra de la Independencia, para adentrarse por la historia política más contemporánea; y la otra novela de este mismo año, titulada *Los cristianos de Calomarde y el renegado por fuerza,* de L. López y Espila. También en esta obra se reconstruye un universo histórico casi contemporáneo, y también el autor se encuentra politizado.

Por el mismo camino de la crónica contemporánea pero siempre en forma de novela, va un Francisco Lorente (quizás se trate de un seudónimo) que publica en 1842: *El diablo y yo o España bajo la dominación ayacucha.* Recordemos que Espartero fue el regente de España durante el trienio 1840-1843, y que a él y a los suyos se les llamó *ayacuchos* por irrisión, ya que algunos de estos generales habían perdido la batalla de Ayacucho en América. Estamos ya, como se puede comprobar, ante la novela politizada.

Del ya muy conocido y estudiado Wenceslao Ayguals de Izco, autor de novelas dualistas y sociales como sabemos, hay que recordar aquí su novela histórica nacional titulada *El Tigre del Maestrazgo, o sea de grumete a general;* se trata de un feroz ataque, y también retrato, del general carlista Cabrera, que, como se recordará, alcanzó este triste sobrenombre.

También por los años 44 ó 45 aparecen varias biografías anoveladas del general Espartero, señalemos solamente una: *Espartero. Novela histórica contemporánea por un admirador de sus hechos* (Madrid, 1845-1846, 2 vols.) Observemos el subtítulo, *novela histórica contemporánea,* y convengamos en que los autores comenzaban a tomar conciencia de que cultivaban un nuevo tipo de novela histórica. Y así ocurre con la novela de Agustín Letamendi titulada *Josefina de Comerford o el Fanatismo. Novela original, histórica y contemporánea,* de 1849. El autor nos narra varios sucesos históricos durante las revueltas carlistas catalanas, y las aventuras de una heroína irlandesa que se deja seducir por los ideales absolutistas.

A partir de mediados de siglo, aunque hay antecedentes, se empieza a emplear el apelativo *episodio* para caracterizar estas novelas históricas *contemporáneas,* y también, y esto es quizás más importante, las diferentes nacionalidades españolas empiezan a novelar con una visión del mundo regionalista, o regionalista nacional. La palabra *episodio* aparece ya en una escritora moralizante y educadora, como Ángela Grassi de Cuenca, que publica, en 1849, *Un episodio de la Guerra de Siete años,* que fue la primera guerra carlista. En cuanto a los regionalistas o nacionalistas regionales, hay que señalar a José María Goizueta, que en 1857 publicó *Aventuras de Damián el monaguillo. Episodio de la Guerra de la Independencia de la Península.* Y a Sabino Goicochea, autor de *Ellos y nosotros. Episodios de la guerra civil* (Bilbao, 1867) y *Deudas de una madre. Episodio de la guerra civil* (Bilbao, 1873).

En cuanto a novelas escritas con una visión política del nacionalismo catalán, se podrían citar algunos títulos, casi todos publicados por entregas; tuvieron más fama las obras de los polemistas católicos Antonio Bofarull y de Brocá *(Las manchas del siglo o las víctimas religiosas,* de 1850) y sobre todo Fernando Patxot y Ferrer, cuyas *Ruinas de mi convento,* de 1851, constituyeron un verdadero éxito editorial.

Aunque como vamos viendo la novela histórica se transforma en novela histórica contemporánea y en episodio histórico, también más o menos contemporáneo, no por ello se abandona el universo de la guerra de la Independencia, siempre cultivado por los entreguistas; citemos algunos títulos: *Fernando el Deseado, Memorias de un liberal* (1860) de Diego López Montenegro. Dos obras de escaso mérito de Manuel Vázquez de Taboada: *El dos de mayo o los franceses en Madrid. Novela histórica original,* de 1863, y *El sitio de Zaragoza...* de 1864. Manuel Angelón y de Broquetas, autor de varias novelas históricas sobre Cataluña, publicó *¡Atrás, extranjero! Novela histórica del tiempo de la guerra de la independencia,* de 1867.

Cuando llega la revolución de 1868, existen ya en el mercado editorial una serie de novelas que tratan indistintamente de la guerra de la Independencia y de los sucesos históricos posteriores, nunca anteriores. También encontramos que estos títulos se subtitulan *Novela histórica contem-*

poránea y *episodio histórico;* en una palabra, nos hallamos ante una tendencia novelesca que, como se dijo, alcanza ya más de 60 títulos en 1868. Naturalmente, la fecha de la revolución también inspira a los novelistas del momento, pero dejando esto aparte, hay que subrayar que la primera novela histórica contemporánea de Pérez Galdós no fue el primer libro de sus *Episodios,* sino la titulada *La Fontana de Oro. Novela histórica,* de 1870, a la que siguió otra novela histórica nacional, la titulada *El Audaz. Memorias de un radical de antaño,* de 1871. Y solamente en 1873, con *Trafalgar,* que no se subtituló *Episodio Nacional,* comienza la saga de los *Episodios Nacionales,* o la culminación de todo un proceso novelesco que había empezado con las humildes obras de Rincón y de Brotóns, hacía ya medio siglo.

3. LIBROS, PRECIOS Y LIBREROS

¿Qué aspecto físico tiene el libro del primer tercio del siglo XIX? Ante todo, y en lo referente a estilo de impresión o estilo de encuadernación, hay que señalar dos épocas: antes de 1830, y después de este año.

Hasta 1830 y a partir de la época del rey Carlos III, en pleno siglo XVIII, el libro adquiere un gran desarrollo y una cierta originalidad en su presentación o apariencia. Los Joaquín Ibarra, Antonio Sancha y la Imprenta Real, en Madrid; los Benito Monfort y los Orga, en Valencia; los Blas y Quesada, en Sevilla, entre otros que se podrían citar, consiguieron bellas ediciones en magníficos papeles y muy buenas tintas.

El libro dieciochesco y que va a perdurar hasta que llegue el libro romántico, se decora sobriamente según las normas de la universalmente admitida moda neoclásica: se adornan las portadas, las cabeceras, hay grecas y guirnaldas, etc.; el resultado es quizás un poco frío, pero sin duda armonioso y muy correcto.

Pero, naturalmente, estos editores citados y los sucesores que se podrían citar (como Manuel Ibarra en Madrid, o ya en el XIX, Villalpando, Miguel de Burgos, Aguado,

Repullés y otros en Madrid; Sierra y Martí, y Bergnés de las Casas en Barcelona; Mompié y Cabrerizo en Valencia) no se preocupan, con excepciones, de la novela: no cuidan impresión de la novela hasta que llega el movimiento romántico en 1830, que, entre otras novedades, trajo la de elevar el libro objeto a libro objeto artístico. La explicación una vez más, según se puede comprobar, consiste en que la novela, y en cuanto género literario, no es «importante» para la cultura oficial o institucionalizada de esta época.

Las novelas que se han conservado de estos años suelen estar bien impresas y bien encuadernadas, pero muy pocas veces adornadas; en cambio, y casi sin excepción, si la novela es en varios tomos, éstos suelen ir acompañados de ilustraciones grabadas en acero y a veces, pocas ya, en madera. Sobre estas ilustraciones hay muy poco que decir, no pertenecen a ningún género definido, ni al neoclasicismo moribundo ni al naciente romanticismo; estas ilustraciones no son nada y son un poco de todo: abundan los paisajes neoclásicos, es decir, portadas con edificios, arcadas, columnas, todo sin adorno, pero se encuentran también, y ya, figuras de encrespadas cabelleras y revueltos mantos.

Hay, con todo, que desconfiar de estas ilustraciones porque no se corresponden con el texto exactamente: son aditamentos más que adornos.

Pero volvamos a insistir: la novela no es un género importante, y por eso no va a poseer ni un estilo en su impresión ni un estilo en sus ilustraciones.

En lo que sí parece haber uniformidad es en el tamaño del libro, que nunca alcanza el 8.º, aunque debe de haber excepciones. La mayor parte de las novelas de estos primeros treinta años de siglo que pueden aún consultarse en la Biblioteca Nacional de Madrid son libros pequeños: sus dimensiones máximas se pueden fijar en los 10 por 15 centímetros; sus dimensiones mínimas, en la mitad de las cifras avanzadas. Es decir, y siguiendo las mediciones de la época, pasamos de un 8.º pequeño a un 32.º, pero lo que más abunda es el libro en 12.º. Libros, pues, pequeños, casi equivalentes, aunque un poco inferiores en tamaño, a nuestros libros de bolsillo actuales, y libros, por su tamaño, destinados a un lectorado preferentemente femenino. (Aunque el análisis nos llevaría muy lejos, sí se puede avanzar que, generalmente, los libros destinados a las mujeres son siempre de reducido tamaño, y que también son de tamaño reducido las obras dedicadas al pasatiempo: se reservaba así el tamaño folio para las obras que se juzgaba importantes y serias).

Estos pequeños libros suelen estar bien encuadernados en pasta española y poseer una sola lámina que puede ir fuera de texto: lámina, como indicamos, grabada en acero y que se refiere o ilustra, de una manera muy vaga y aproximativa, el tema de la novela. Si la novela posee varios tomos, cada tomo poseerá su lámina correspondiente, pero siempre una por tomo, nunca más de una o muy excepcionalmente.

Todo lo apuntado cambia radicalmente en 1830, ya que el romanticismo también significó una revolución en el libro. El austero y siempre neoclásico libro que viene del XVIII, desaparece y en su lugar se editan verdaderas joyas bibliográficas: nuevos caracteres para el texto, en el que podemos ver alternándose diferentes tipos de letra, el texto mismo puede venir en dos columnas imitando así los antiguos libros medievales, aparecen los grabados dentro del mismo texto, ya interrumpiéndolo con viñetas, ya rodeándolo con guirnaldas y otros adornos; se multiplica también el número de láminas, y en la confección de estas últimas intervienen ya firmas de calidad y prestigio como los Madrazo, Pérez Villa-Amil y otros. Se descubre el procedimiento de la litografía y a partir de estos años van a abundar las láminas litografiadas, es decir, en diferentes colores.

Los talleres litográficos más característicos (editores muchas veces también) fueron los de Eusebio Aguado y Francisco Mellado en Madrid, y desde el año 1845, la editorial Gaspar y Roig; en Barcelona, Antonio Bergnés, ya citado, Juan Oliveres y Tomás Gorchs; y en Valencia, Mompié, también citado, Esteban, Cabrerizo y los Ferrer de Orga.

Cuando llega el romanticismo no sólo aparecen una

serie de nuevos procedimientos técnicos, sino que éstos se ponen al servicio de la novela: ésta, de alguna manera, deja de ser el género sin importancia para transformarse en otra cosa.

Naturalmente el tamaño, casi uniforme hasta 1830, de la novela cambia: ahora el libro, y en especial la novela, puede tener los tamaños más variados, puede presentarse en 8.º y hasta en 4.º; todo depende del editor, que, por primera vez, supedita tamaño, adorno e ilustraciones, al contenido de la obra que edita.

Se podría resumir diciendo que el romanticismo editorial fue la verdadera moda del XIX, o al menos el estilo editorial más característico y original del siglo.

Mención aparte merecen las novelas por entregas, que, como sabemos, están fuera de los circuitos románticos y constituyen por sí mismas un procedimiento editorial independiente: aquí no hay adornos ni estilo, ni nada: solamente cuadernillos de mal papel en caracteres descomunales para rellenar espacio. Sin embargo, aun en las novelas por entregas podemos encontrar excelentes ilustraciones, ya sea grabadas, ya sea litografiadas: los editores por entregas se preocuparon desde el primer momento de las ilustraciones porque intuyeron que el lectorado andaba necesitado de imágenes (ni que decir tiene que el retrato del general Espartero y de otras figuras populares, generales y toreros, santos y santas, se litografiaron docenas de veces).

En cuanto al tamaño de las novelas por entregas, ya queda anotado que siempre es el mismo: un cuarto, raras veces más grande.

Resumiendo, en esta primera mitad del siglo nos encontramos: hasta 1830, libro pequeño, neoclásico, poco adornado. A partir de 1830, libro adornado, profusamente ilustrado, lujoso, romántico. Coincidiendo con el anterior, aparece la entrega hacia 1844, que por no ser, no es ni siquiera libro.

Los precios de las novelas de 1800 a 1833, siempre aproximadamente, son en principio elevados. La novela, y el libro en general, es un lujo destinado a las clases pudientes, a esos grupos medios de las ciudades, únicos capaces de consumirla y de pagarla en consecuencia.

No existen cifras exactas, pero como de costumbre, podemos operar a base de aproximaciones, teniendo en cuenta ante todo que los precios no varían sustancialmente entre 1808 y 1833 (para esta época, los economistas señalan una depresión, pero ésta no afectó demasiado a la industria del libro).

Una novela de 100 a 200 páginas en 12.º suele costar de 10 a 12 reales; este precio se entiende en rústica, puesto que el libro en pasta cuesta siempre de uno a dos reales más que en rústica. Estos precios no suelen sufrir variación: las novelas son siempre de 100 a 200 páginas, si son más largas, se publican en dos volúmenes, en tres, etc., y cada volumen o tomo mantiene el mismo precio, que puede variar entre dos límites: 8 reales ó 12 reales (yo no he encontrado ninguna novela «a menos de 8 reales»).

Si, como comprobamos, cada tomo o volumen puede costar 10 reales por término medio, y si consideramos que hubo muchas novelas que hubieron de publicarse en tres y hasta en cinco tomitos o volúmenes, no hay duda de que la novela era cara, muy cara, y que sólo pudo ser leída por un lectorado pudiente.

Cuando comienza la edición de los libros románticos, estos precios se doblan, es decir, el lectorado ha de ser aún más reducido y bastante más pudiente, por expresarnos de esta manera; sin embargo, con el libro romántico, caro, lujoso, y muy bien hecho sobre todo, apareció casi inmediatamente la entrega (que a veces podía editar el mismo libro romántico lujosamente editado); la entrega permitió así la extensión del lectorado hasta unos límites insospechados, pero también sabemos ya que esta baratura de la entrega encerraba una verdadera trampa económica: el trabajador, débil económicamente hablando, no podía desembolsar de una vez 8 ó 16 reales, que era el precio de un libro, y desembolsaba un real por semana por cada entrega; al cabo del año, había desembolsado cinco veces el precio del libro, y a cambio, no había obtenido ni siquiera un libro, sino un montón de entregas o cuadernillos que había que encuadernar.

El libro, desde el punto de vista del precio y como sabemos, se mantiene poco menos que igual a través de los años, aunque se puede señalar una subida general del precio, pero no exagerada, después de los años 30. Las diferencias apuntadas: digamos para simplificar, 10 reales el libro tradicional, 20 el romántico y un real semanal la entrega, no implican sin embargo o de una manera definitiva una aproximación clasista del lectorado de novelas, ya que con la excepción del mundo trabajador que sólo puede adquirir entregas, el resto del lectorado, y sin distinción de clases, consume novelas de los tres precios indicados.

No hay duda, por ejemplo, de que muchos o todos los grandes novelistas de la generación del 68 habían leído profusamente novelas por entregas, aunque estaban capacitados, por sus profesiones liberales en muchos casos, para adquirir libros de otros precios.

De todas las maneras, y si quisiéramos resumir esta posible política de precios respecto al libro, no hay duda de que el libro sigue siendo, como desde hace siglos, una mercancía rara y cara, pero también es indudable que la entrega facilitó la lectura y extendió el área de lectura por las capas de la población que hasta estos momentos no habían leído jamás ni un solo libro. (En cuanto a este último extremo, habría que recordar aquí que también hubo algunos editores por entregas que publicaron obras de educación popular: puede servir de ejemplo el editor y helenista Bergnés de las Casas, en Barcelona.)

* * *

No es tarea fácil para un historiador hablar de libreros en los primeros treinta años del XIX; entre otras razones, porque ni en estos años ni casi en lo que queda de siglo es posible hacer una clara diferencia entre librero, impresor y editor. Con respecto a la novela y aunque parezca paradójico, nos interesan más los libreros que los impresores o editores: un librero en el XIX es, desde luego, un hombre de empresa que posee un comercio donde vende libros; al poseer un punto de venta se dedica también a editar libros, esto es, a financiarlos, y para ello requiere los servicios de una imprenta (las imprentas, como es natural, no se dedican solamente a imprimir novelas o libros, imprimen revistas y sobre todo periódicos). A veces, pero es lo más raro, los oficios de librero, editor y hasta impresor, se dan en una sola persona (Bergnés de las Casas en Barcelona, Cabrerizo en Valencia y pocos más).

Tampoco los libros o las novelas que nos han quedado de esta época nos sacan de dudas a la hora siempre aleatoria de hacer diferencias entre libreros, editores e imprentas. Estos libros poseen o no poseen pie de imprenta, suelen citar al editor o al librero, muy raras veces al impresor, o pueden citar la imprenta y no al editor, etc. Hay que recordar que en esta época no existía ninguna legislación internacional sobre la reproducción editorial como existe en la nuestra.

En 1806 existían en Madrid por lo menos ocho librerías, situadas casi en su totalidad en las calles de Carretas, Carrera de San Jerónimo y sus aledaños. Estas ocho librerías que expendían libros no nos dan, sin embargo, una imagen exacta de la venta, puesto que también se vendían libros en los puestos que vendían diarios o periódicos, y también habían de venderse libros en las mismas imprentas que los imprimían. Hacia 1830, y siempre en Madrid, el número de librerías, puestos de venta, etc., llegaba aproximadamente a las cuarenta.

Por muy aproximadas que sean las cifras avanzadas, podemos comprobar que desde primeros de siglo hasta que llega el romanticismo, la vida editorial en general había sufrido una auténtica reactivación. Quizás, incluso, podríamos decir que los treinta primeros años del siglo son los años de implantación de la industria librera, y que ésta no pudo hacerse sin libros, esto es, en el vacío; por esto insistimos una y otra vez en la importancia que tuvieron los años que estudiamos: años de formación de un lectorado, años de educación general en todo lo referente a la novela, años en los que surgen autores, libreros, imprentas, etcétera. Y años, sin embargo, en los que con muy cortas excepciones la vida intelectual está oprimida por un régimen absolutista y una Censura Gubernativa dominante.

Pero si nos fijamos bien, también son años en los que la burguesía empieza a tomar posiciones sociales y económicas antes de asaltar el poder del estado.

A partir de 1830 y con la revolución romántica, es claro que la industria editorial sufrió nuevas transformaciones y perfeccionamientos, pero no por ello, sin duda porque no lo necesitaba, multiplicó excesivamente el número de imprentas y librerías. Quizás habría que estudiar la extensión de las librerías y los puntos de venta por todo el territorio nacional, para darnos entera cuenta de lo que significó esta revolución editorial y librera. El periodismo nacido al socaire del primer liberalismo español en la Cádiz de las Cortes de 1812, había abierto el camino a la lectura y a la extensión del papel impreso; y, quizás siguiendo las vías abiertas por esta prensa siempre muy politizada, siguieron los libros y las novelas. Por eso no es raro encontrar en las provincias que no poseen imprenta o librería, algo que se denominó «punto de venta» o «agente de la librería», etcétera. En estos puntos de venta, que se encuentran desde el más remoto norte de la península hasta en Gibraltar ciudad, había siempre un representante de libreros o editoriales que recogía suscripciones para todo tipo de publicaciones periódicas. Y de la misma manera que había que suscribirse para recibir un periódico, los editores o libreros, al darse cuenta del procedimiento, publicaron sus novelas en colección, a fin también, de que el lector se suscribiera y el editor o librero tuviera así asegurada una tirada determinada.

Pero vengamos a las cifras y avancemos algunas, siempre aproximadas, que van ya de 1820 a 1860:

Madrid posee 197 editores y libreros, de 1820 a 1860; Barcelona, 90 editores y libreros en la misma época; Valencia posee 15 editores y libreros, de 1820 a 1860; Sevilla posee 14, de 1820 a 1860.

Con 7 editores y libreros, y siempre para la misma época, siguen: Zaragoza y Palma de Mallorca.

Con 4 editores y libreros, Valladolid, Tarragona, Burgos y Granada.

Con 3, siguen Lérida, Oviedo y Vich.

Con 2, Alicante, Segovia, Cádiz, Salamanca, Toledo, Málaga, Mahón y Gerona.

Y con 1 editor o librero: El Ferrol, Ávila, San Sebastián, Játiva, Santiago, Sabadell, Murcia, Reus, Logroño, Teruel, Cuenca, La Coruña, Tolosa, Vitoria, León, Tortosa y Badajoz.

Sin duda faltan ciudades y villas que poseían por lo menos una librería o un punto de venta, pero con todo, en esta aproximación podemos ver el grado de descomunal concentración industrial que existe en Madrid y Barcelona, y también, y es lo que nos importa, cómo la red de ventas se ha extendido virtualmente a toda la península.

Con la aparición de la entrega, también dentro de las cifras que quedan anotadas, hay que señalar el nacimiento de otra industria, quizás solamente artesanal: la de la encuadernación; por los años 50 del siglo y un poco después, se podrían enumerar cerca de cuarenta talleres de encuadernación para la sola ciudad de Madrid (hay que imaginar que Barcelona tendría poco más o menos otros tantos). Claro que se trata de una industria derivada y sin mucha importancia, puesto que sólo puede existir mientras exista la entrega: pero al ser la industria por entregas tan copiosa, era necesaria la aparición de estos talleres de encuadernación que no solamente atendían a encuadernar entregas, que sería su trabajo principal, sino también a encuadernar libros ya impresos.

Tampoco podemos hacer las diferencias entre librería y taller de encuadernación, o entre imprenta que además de imprenta era taller de encuadernación, etc.

En resumen: cuando llegue la revolución de 1868, y con ella el florecimiento de un nuevo novelar, existía ya una industria editorial bien desarrollada e implantada en todo el territorio nacional. Una vez más, la primera mitad del siglo XIX fue decisiva para el desarrollo de la novela española.

CRÍTICA

Basta abrir cualquiera de los manuales de Literatura española, y los hay excelentes, para darse cuenta de que lo que hemos considerado novela del siglo XIX, primera mitad, no ha sido considerado aún como objeto de estudio. Hay naturalmente excepciones: se estudia la novela romántica, o la novela histórica de origen romántico, el costumbrismo y el prerrealismo, pero poco o nada, la novela que va desde primeros de siglo hasta los años 30. Este vacío viene, supongo, de la ignorancia que ha existido de una producción española de novelas: se daba por bueno que en los primeros años del siglo, y siempre durante los 30 primeros años, sólo se traducían novelas pero no que se escribían. No hay pues crítica sobre esta producción, a excepción de los libros de Juan Ignacio Ferreras (1973, 1976 y 1979); me refiero como es lógico a estudios de conjunto, ya que particulares, de tal o cual autor, existen.

Al no ser considerada una producción, sólo sobrenadan en los estudios críticos algunos nombres, siempre los mismos y siempre sin duda los mejores (Larra, Mesonero Romanos, Espronceda y «Fernán Caballero»). Sin embargo, esta manera de enfrentarse con la época que nos ocupa, deja fuera, como es lógico, los nombres menos importantes que no merecen estudios particularizados (faltan, pero no creo que sean necesarios, estudios sobre la mayor parte de los novelistas por entregas).

Ante la falta de estudios generales, no puede causar sorpresa que falte también la reimpresión de muchas obras, de muchas novelas, que merecen la reimpresión, ya sea por el estilo o características propias, ya sea por el significado que tuvieron en el devenir de la historia de la novela (falta editar muchos costumbristas que lo merecen, falta la reimpresión de una novela como *Cornelia Bororquia,* que inicia toda una tendencia, etc.).

En paralelo abundan, y hay por lo tanto donde escoger, las reimpresiones de los autores ya conocidos (Larra, Mesonero Romanos, «Fernán Caballero», etc.).

La bibliografía que va a continuación está dividida en «Estudios» y en «Textos». Las obras comprendidas en «Estudios» son las generales, en varias de ellas se encuentran excelentes bibliografías complementarias que no hay por qué repetir aquí. En «Textos» se recogen las ediciones más recientes de las obras que han quedado en la memoria cultural o institucionalizada de nuestras universidades. Hay, como se verá, una gran diferencia, en cuanto al número de obras reseñadas, entre las dos partes en que hemos dividido la bibliografía; esta diferencia responde, ante todo, a que sólo reseñamos libros y no artículos, o trabajos sueltos (algunos muy interesantes e importantes, y que se encuentran ya incluidos en las obras con bibliografía propia), y también responde esta diferencia, a que la época, de alguna manera, es estudiada y tenida en cuenta por la crítica, pero no sus novelas o la producción de novelas. (De aquí la falta de reimpresiones a la que hemos aludido.)

Hoy día, ningún estudioso encuentra dificultad para leer a Larra o a «Fernán Caballero», pero tendría que acudir a la Biblioteca Nacional para leer muchas de las novelas que aquí quedan descritas o examinadas. Quizás, y con suerte, también este estudioso pueda encontrar aún, en algún puesto de libros viejos, una no menos vieja novela por entregas (se publicaron tantas que todavía es posible encontrarlas) pero de todas las maneras, si este estudioso quisiera profundizar en la materia, también tendría que acudir a las bibliotecas.

Pero si la falta de textos novelescos de la época, con las excepciones ya repetidas, es siempre un obstáculo, por otra parte hay ciertos bloques de interés crítico bien estudiados y repertoriados. En primer lugar, el romanticismo español y lo que pudo significar ha encontrado ya una abundante bibliografía: Peers (1954), Navas-Ruiz (1971 y 1982) y otros, en cuyas páginas se pueden encontrar trabajos y artículos parciales sobre poetas, autores dramáticos y novelistas románticos.

Para el género que nos interesa siguen siendo primordiales los estudios de Montesinos (1955, 1960), que plantean las diferencias y relaciones entre costumbrismo y novela. Por este camino y ya estudiando el genero novelesco, están las obras de Ferreras (1972, 1973 y 1976), donde se intenta una historia de la novela histórica nacional y otra historia de lo que pudo significar la novela por entregas, sin olvidar, en 1973, que los treinta primeros años del siglo XIX constituyeron la base para todo el novelar posterior.

El costumbrismo como fenómeno literario característico, en relación o no con la novela (aunque esta relación es fundamental) ha sido también estudiado por Romero (1968) y, situándolo en la figura del costumbrista y novelista Antonio Flores, por Rubio Cremades (1977-1980).

Iris M. Zavala (1971) ha llamado la atención sobre las relaciones políticas de la novela y en otros trabajos que no se citan aquí. Porque no hay que olvidar, como se reseñó en algunos capítulos de este libro, que no existió exactamente ninguna independencia artística por parte del novelista decimonónico (al menos, antes de 1868).

Aunque no es este lugar para citarla, también existe una bibliografía, muy copiosa y en vías de desarrollo, sobre la novela y la burguesía, pero esta bibliografía parte, de una manera general, de 1868, año de la revolución y año en que comenzaron a aparecer los grandes escritores realistas del siglo, Galdós, Pereda, Valera, etc. Estudios y trabajos que a veces tienen en cuenta el llamado prerrealismo de muchos de los autores citados en este libro.

BIBLIOGRAFÍA

ESTUDIOS

ALBORG, Juan Luis (1980), *Historia de la Literatura Española.*
Tomo IV, *El Romanticismo,* Gredos, Madrid.

ALMELA VIVES, Francisco (1949), *El editor Don Mariano de
Cabrerizo,* Semana Gráfica, Valencia.

Antología de la novela histórica española, 1830-1844 (1963),
Aguilar, Madrid, Edic. de F. Buendía.

ARAQUE, Blas María (1881), *Biografía de don Wenceslao Ayguals
de Izco,* Madrid.

BALLESTEROS, Mercedes (1949), *Vida de Avellaneda,* Madrid.

BAQUERO GOYANES, Mariano (1949), *El cuento español en el siglo XIX,* C.S.I.C., Madrid.

BENÍTEZ, Rubén (1979), *Ideología del folletín español: Wenceslao Ayguals de Izco,* Porrúa Turanzas, Madrid.

BROWN, Reginald (1953), *La novela española, 1700-1850,* Servicio de Publicaciones de la D. G., de Archivos y Bibl., Madrid.

CAMPOS, Jorge (1963), *Espronceda. Estudio y antología,* Madrid,
Compañía Bibliográfica.

CARO BAROJA, Julio (1969), *Ensayo sobre la Literatura de cordel,* Revista de Occidente, Madrid.

CORNISCH, Beatrice Q. (1918), *Francisco Navarro Villoslada,*
Berkeley, University of California Press.

Costumbristas Españoles (1950), Aguilar, Madrid, Edic. de
E. Correa Calderón.

Cuentistas españoles del siglo XIX (1945), Aguilar, Madrid,
Edic. de F. C. Sáinz de Robles.

DÍAZ PLAJA, Guillermo (1953), *Introducción al estudio del romanticismo español,* Espasa-Calpe, Madrid, Colec. Austral.

Escritores políticos españoles, 1789-1854 (1975), Turner, Madrid, Edic. de A. Derozier.

FERRERAS, Juan Ignacio (1972), *La novela por entregas 1840-1900*, Taurus, Madrid.

— (1973), *Los orígenes de la novela decimonónica*, Taurus, Madrid.

— (1976), *El triunfo del liberalismo y de la novela histórica*, Taurus, Madrid.

— (1979), *Catálogo de novelas y novelistas españoles del siglo XIX*, Cátedra, Madrid.

GARCÍA, Salvador (1979), *Miguel de los Santos Álvarez. Romanticismo y poesía*, Madrid.

GARCÍA CASTAÑEDA, Salvador (1978), *Don Telesforo de Trueba y Cosío, 1799-1835*, Institución Cultural de Cantabria, Santander.

GONZÁLEZ PALENCIA, Ángel (1934-1940), *La Censura Gubernativa en España (1800-1833)*, 3 vols., Madrid, Archivos.

GORGOZA FLETCHER, M. de (1974), *The Spanish Historical Novel...*, Londres, Tamesis Books Ltd.

GULLÓN, Ricardo (1951), *Cisne sin lago. Vida y obra de Enrique Gil y Carrasco*, Madrid, Ínsula.

GUSTAVINO GALLENT, Guillermo (1941), *La imprenta de Benito Monfort (Madrid, 1757-1853), nuevos documentos para su estudio*, Madrid, Imprenta Soler.

HEINERMAN, Theodor (1944), *Cecilia Böhl de Faber (Fernán Caballero) y Juan Eugenio Hartzenbusch. Una correspondencia inédita*, Madrid, Espasa-Calpe.

HERRERO, Javier (1963), *Fernán Caballero. Un nuevo planteamiento*, Madrid, Gredos.

HINTERHÄUSER, H. (1963), *Los episodios nacionales de Benito Pérez Galdos*, Madrid, Gredos.

Historia de la Literatura Española. Tomo III (1980), Siglos XVIII y XIX, Madrid, Taurus. Coordinado por J. M. Díez Borque.

Historia y crítica de la Literatura Española. Tomo V. Romanticismo y Realismo (1982), Barcelona, Editorial Crítica, dirigido por Iris M. Zavala.

HORTELANO, Benito (1936), *Memorias,* Madrid, Espasa-Calpe.

INIESTA, A. (1958), *Don Patricio de la Escosura*, Madrid, Fundación Universitaria Española.

Ínsula, 188-189, XVII (julio-agosto 1972), número extraordinario dedicado a Larra.

JUARISTI, Jon (1986), *Leyendas vascas del siglo XIX. La tradición romántica,* Pamplona, Ed. Pamiela.

LE GENTIL, Georges (1909), *Les revues litteraires de l'Espagne pendant la prémière moitié du XIXᵉ siècle,* París, Alcan.

LUKÁCS, Georgy (1965), *Le Roman Historique,* París, Payot. Hay traducción española.

LLORÉNS, Vicente (1954), *Liberales y románticos. Una emigración española en Inglaterra (1823-1834),* México, El Colegio de México.

MARCO, Joaquín (1977), *Literatura popular en España en los siglos XVIII y XIX. Una aproximación a los pliegos de cordel,* 2 vols., Madrid, Taurus.

MONTESINOS, José F. (1955), *Introducción a una historia de la novela en España en el siglo XIX. Seguida de un esbozo de una bibliografía española de traducciones de novelas (1800-1850),* Madrid, Castalia.

— (1960), *Costumbrismo y novela. Ensayo sobre el redescubrimiento de la realidad española,* Madrid, Castalia.

— (1961), *Fernán Caballero. Ensayo de justificación,* Berkeley, University of California.

MONTOTO, Santiago (1969), *Fernán Caballero,* Sevilla, Gráficas del Sur.

NOMBELA Y TABARES, Julio (1910-1914), *Impresiones y recuerdos,* Madrid, La Última Moda.

NAVAS-RUIZ, Ricardo (1971), *El romanticismo español. Documentos,* Salamanca, Anaya.

— (1982), *El romanticismo español,* Madrid, Cátedra.

OLIVES CANALS, Santiago (1947), *Bergnés de las Casas, helenista y editor (1801-1879),* Barcelona, Instituto Nacional de I.C.

PEERS, E. Allison (1954), *Historia del movimiento romántico español,* 2 vols., Madrid, Gredos.

RANDOLF, Donald A. (1966), *Eugenio de Ochoa y el romanticismo español,* Berkeley, University of California.

ROMERO, Federico (1968), *Mesonero Romanos, activista del madrileñismo,* Madrid, Instituto de Estudios Madrileños.

ROMERO TOBAR, Leonardo (1976), *La novela popular española del siglo XIX,* Barcelona, Ariel.

RUBIO CREMADES, Enrique (1977-1980), *Costumbrismo y folletín. Vida y obras de Antonio Flores,* 3 vols., Alicante, Instituto de Estudios Alicantinos.

SEOANE, María Cruz (1977), *Oratoria y periodismo en la España del siglo XIX,* Madrid, Castalia.

TIERNO GALVÁN, Enrique (1977), «La novela histórica folletinesca», en *Idealismo y pragmatismo en el siglo XIX español* (páginas 13-94), Madrid, Tecnos.

TORRE, Elías (1959), *La vida y la obra de José García Villalta*, Madrid, Acies.

UCELAY DA CAL, Margarita (1951), *Los españoles pintados por sí mismos. Estudio de un género costumbrista*, México, El Colegio de México.

VARELA, José Luis (1948), *Romero Larrañaga. Su vida y obra literaria*, Madrid, C.S.I.C.

VIDAL Y VALENCIANO, Gayetá (1872), *Cortada. Su vida y sus obras*, Barcelona.

ZAVALA, Iris M. (1972), *Románticos y socialistas. Prensa española del siglo XIX*, Madrid, Siglo XXI.

— (1971), *Ideología y política en la novela española del siglo XIX*, Madrid, Anaya.

ZELLERS, Guillermo (1938), *La novela histórica en España, 1828-1850*, Nueva York, Instituto de las Españas.

TEXTOS

CÁNOVAS DEL CASTILLO, Antonio, *La campana de Huesca*, Madrid, Espasa-Calpe, Colección Austral, n.º 988.

CASTELAR, Emilio, *Ernesto*, Madrid, Espasa-Calpe, Colección Austral, n.º 794.

ESTÉBANEZ CALDERÓN, S., *Escenas Andaluzas*, Madrid, Espasa-Calpe, Colección Austral, n.º 188.

FERNÁN CABALLERO, *Obras de...*, Madrid, Ed. Atlas, 1961 y siguientes, Biblioteca de Autores Españoles, 7 vols., Edición de J. M. Castro y Calvo.

—, *La Familia de Alvareda*, Madrid, Castalia, Ed. de Julio Rodríguez Luis.

—, *La Gaviota*, Madrid, Castalia, Ed. de Carmen Bravo-Villasante.

FOZ, Braulio, *Vida de Pedro Saputo*, Barcelona, Laia, 1986, con introducción de Sergio Beser y estudio de Francisco Ynduráin.

GIL Y CARRASCO, Enrique, *Obras Completas de...*, Madrid, Biblioteca de Autores Españoles, 1954, Ed. de Jorge Campos.

GÓMEZ DE AVELLANEDA, Gertrudis, *Sab*, Salamanca, 1970, Edición de Carmen Bravo-Villasante.

LARRA, Mariano José de, *Obras de...,* Madrid, Biblioteca de Autores Españoles, 3 vols., 1960, Ed. de Carlos Seco Serrano.
—, *Artículos de costumbres,* Madrid, Espasa-Calpe, Colección Austral, n.° 306.
MARTÍNEZ DE LA ROSA, Francisco, *Obras de...,* Madrid, Biblioteca de Autores Españoles, 8 vols., 1962, Ed. de Carlos Seco Serrano.
MESONERO ROMANOS, Ramón de, *Escenas Matritenses,* Madrid, Espasa-Calpe, Colección Austral, n.° 283.
VICETTO, Benito, *Los hidalgos de Monforte,* ed. facsímil, 2 vols., La Coruña, 1978, La Voz de Galicia.

ADDENDA

En esta búsqueda de textos hay que señalar aquí la publicación titulada *Círculo de Amigos de la Historia,* Barcelona, que ha editado numerosos títulos (Fernández y González, Navarro Villoslada, Pastor Díaz, etc.). Los textos novelescos carecen de introducción y notas, y a veces no están completos.

Ediciones Siglo XX, Editorial Tesoro, publicó por los años 50 de este siglo varias novelas históricas, de Fernández y González, sobre todo.

ESTE LIBRO SE TERMINO DE IMPRIMIR EN LOS
TALLERES GRAFICOS DE ROGAR, S. A., EN
FUENLABRADA (MADRID), EN EL MES DE
JUNIO DE 1987